BIJ DE LES

Schoolplaten van Nederlands-Indië

Kampong in het Barito-stroomgebied
Borneo

Hella S. Haasse

BIJ DE LES

Schoolplaten van Nederlands-Indië

2004

UITGEVERIJ CONTACT
Amsterdam / Antwerpen

Straat met toko's

INHOUD

Inlandsche landbouwer

Java

WOORD VOORAF

Ja, die Schoolplaten ten Behoeve van het Aardrijkskundig Onderwijs in Nederlandsch-Indië, daterend uit de jaren tussen 1913 en 1940, en uitgegeven door J.B. Wolters, Groningen, Den Haag. Ze liggen voor me, losse foto's naar de originelen, in kleur, maar ook als zwart-witte illustraties in de bijbehorende boekjes met degelijke didactische informatie over landschappen, stadsgezichten en bevolkingsgroepen. De tekst van de eerste serie *Insulinde in Woord en Beeld* is geschreven door Henri Zondervan, leraar aan de Rijks HBS met vijfjarige cursus te Groningen.

Wekken de platen nostalgische gevoelens, herkenning? Eigenlijk roepen ze vooral vragen bij me op.
Ik kan me niet herinneren ze ooit gezien te hebben in de scholen in Batavia, Buitenzorg en Bandoeng, waar ik als kind in de jaren twintig en dertig van de vorige eeuw geweest ben. Wel hingen daar overal de taferelen uit de vaderlandse geschiedenis die zo onvergetelijk in beeld gebracht zijn door onder anderen J.H. Isings jr. en C. Jetses. Dat ik toch een paar van de aardrijkskundeplaten kan thuisbrengen, komt omdat het reproducties zijn van schilderijen van de destijds bekende Indische kunstenaars W.C.C. Bleckmann en J. Gabriëlse. Die treffen onmiddellijk door talent, vakmanschap, voelbare liefde voor de indrukwekkende natuur, en een uit persoonlijke ervaring en kennis van zaken geboren aandacht voor details.
Uit de tekst in de aanbiedingsprospectus van J.B. Wolters uit 1913 wordt niet duidelijk of die schilders hun werk in opdracht van de samensteller en de uitgever gemaakt hebben (er is sprake van de noodzaak 'op de platen te vinden wat de auteur voor het onderwijs dienstig acht'). In 1915 meldt de prospectus: 'De origineelen hebben niet eerst voor reisalbums gediend, doch zijn met het oog op de behoeften der school vervaardigd', om dan te eindigen met de raadselachtige verklaring: 'Allerlei verbijsterende details, voor de wetenschap wellicht van belang, zijn dan ook weggelaten.'

In de volgende jaren brengt ook uitgeverij P. Noordhoff een serie platen uit, met andere schrijvers en tekenaars. Omstreeks 1920 is dat vooral M. van Meeteren Brouwer, schilder en populair cartoonist, die zijn werk meestal met zijn voornaam MENNO signeerde.
Zeker is wel dat de laatste serie van J.B. Wolters, uit de jaren dertig, volgens een louter functioneel schema tot stand gekomen is. De fondscatalogus van april 1930 vraagt aandacht voor twaalf 'Milieuplaten', zoals 'Station', 'Haven', 'Achtererf', 'Straat met toko's', zonder begeleidend tekstboekje, die strikt genomen niets met aardrijkskunde te maken hebben en gebruikt zijn bij de lessen in de Nederlandse taal voor de lagere klassen van de Hollands-inlandse en Hollands-Chinese scholen. Dit *Nederlandsch Taalboek* is samengesteld door Dr. G.J. Nieuwenhuis en H.P. van der Laak, en verschenen bij J.B. Wolters Uitgevers Maatschappij n.v. (in Groningen, Den Haag, Batavia).
De naam van de aquarellist ontbreekt. Die ontcijfer ik met behulp van een vergrootglas op de foto's. De serie

werd gemaakt door Frits van Bemmel, een bekende reclametekenaar en illustrator van kinderboeken. Zijn platen
zijn eenvoudig en helder, zij tonen een geïdealiseerde
werkelijkheid, het Indië van de 'vooruitgang', waar de
ethische politiek van droomde, en dat ongetwijfeld de
leerlingen als een na te streven toekomstbeeld voorge-
houden werd.
De werkelijkheid waarin deze platen voor het onderwijs
'dienstig' geacht werden, is voorgoed voorbij.
Commentaar – nog wel gevoed door herinnering aan de
toestanden en opvattingen van toen – kan alleen mogelijk
zijn vanuit een heden dat zijn les geleerd heeft.

JAVA

Willem Christiaan Constant Bleckmann (1853-1942) wordt wel 'de schilder van het Oude Java' genoemd, en dan vooral van zijn geboortestad Batavia en van het landschap dat hem het liefst was, de bergen van de Preanger. Dat zijn 'toets' en coloriet ouderwets gevonden werden in die periode – toen de Franse impressionisten en de schilders van de Haagse School de werkelijkheid gevormd en gekleurd door een allerindividueelste waarneming op hun doeken afbeeldden – doet niets af aan de blijvende waarde van Bleckmanns gave om de essentie van de Indische natuur vast te leggen. Zo en niet anders dan op de plaat zie je, voorbij Bogor en de Poentjak-pas, de twee toppen van de Gedeh-Pangerango oprijzen boven de groene heuvels die het overgangsgebied vormen tussen het laagland langs de kust en Priangan.

Bleckmann was van ongeveer 1880 tot 1899 tekenleraar aan het gymnasium Koning Willem III in Batavia. Als hij in zijn vrije tijd niet door de stad zwierf om te schetsen of werkte in zijn zelfontworpen atelier, waar hij de lichtval kon regelen met speciale zonneschermen van gevlochten bamboe, ging hij 'naar boven', de bergen in. Het is bekend dat hij, om deze plaat te maken, zijn schildersezel had neergezet in een desa aan de Grote Postweg. Die 'ruggengraat' van Java is onder gouverneurgeneraal Daendels in het begin van de negentiende eeuw door dwangarbeid tot stand gekomen van Anjer in Bantam tot Banjoewangi in de Oosthoek, en voor het lokale verkeer nog altijd onmisbaar.

De plek waar Bleckmann de tweelingvulkaan schilderde was (vanwege het meer op de voorgrond) vermoedelijk

De tweelingvulkaan Gedeh-Pangerango
Java

Tjisaroea. Ik stel me graag voor dat hij tijdens zo'n werk-periode verbleef in de nabijgelegen desa Tjimatjan, waar ik vaak geweest ben. Onder zijn schilderijen is er een van een huisje in Tjimatjan, en een ander van een groep bamboebomen (altijd de schaduwrijke omlijsting van woningen op het Javaanse boerenland). In mijn jeugd was Tjimatjan al lang uitgegroeid tot een langgerekte agglomeratie van vakantieoptrekjes, het startpunt voor tochten naar de waterval en de hete bronnen op de hellingen van de Gedeh-Pangerango, en de wereldberoemde proeftuin Tjibodas voor subtropische gewassen. Dat waren pittige wandelingen, die nog maar de opmaat vormden bij een beklimming van de Gedeh (3000 meter), met zijn altijd zwaveldamp uitwasemende krater, of van de iets lagere Pangerango, waar je edelweiss kon plukken. Op die hoogten was het behaaglijk huiveren: echt Hollandse kou! Overdag zijn de toppen meestal in wolken gehuld, maar bij helder weer en vooral vlak na zonsopgang is het verge-zicht van een onbeschrijfelijk weidse pracht: in het oosten en zuidoosten de blauwe bergen bij Bandoeng en Garoet, ver in het noorden de rede van Jakarta, dichtbij, in het westen, de Salak, (daarachter kan Straat Soenda zichtbaar zijn), en in het zuidwesten, langs de kust, een witte schuimrand: de branding van de Indische Oceaan.

Van Bogor zuidwaarts naar Pelaboehan Ratoe aan de Indische Oceaan, dat was (en is, denk ik, nog steeds) een van de allermooiste tochten door het afwisselend grootse en liefelijke landschap van de Preanger. De Zuidkust gold altijd als een magisch gebied. Als kind al kende je de verhalen over die zee, het rijk van de godin Ratoe Loro Kidoel. Krijgt zij een mens in haar macht die ten koste van alles rijk wil worden, dan sleurt zij hem mee naar de diepten waar zij met de beenderen van drenke-lingen haar paleizen bouwt. Ook duldt zij niet dat iemand dicht bij de branding komt, of in groene kledij te water gaat, want groen is haar kleur. Het strand heeft geen wit, maar grijs of zwart zand. De glooiing gaat snel over in zeer diep water. Zwemmen is een gevaarlijke onderne-ming, surfers wordt die sport ontraden. Vissers wagen door de verraderlijke stromingen hun leven, iedere keer wanneer zij uitvaren.

De schoolplaat stelt waarschijnlijk een plek voor aan de veel steilere zuidkust van Midden-Java. Hoge golven komen aanrollen en breken met een karakteristiek bulde-rend geluid op rotswanden vol grotten en holen, waar zeezwaluwen hun nesten bouwen. Die zijn eetbaar, en worden vooral door Chinezen als een bijzondere lekkernij beschouwd. Het zoeken en verzamelen van de schotelvormige broze nestjes is een van de meest riskante vormen van kostwinning die men zich kan voorstellen. Telkens wanneer er een golf aanstormt, wordt het zeewater eerst de grotten in gestuwd, en vervolgens door de druk van de daarbinnen samengeperste lucht weer uitgestoten. Niet alleen moeten de mannen zich aan touwen langs de rotsen omlaag laten zakken tot bij de opening van een grot, maar ook de perioden van luwte tussen twee golven benutten om daarbinnen de bruikbare

De steile Zuidkust

Java

nestjes van het hoge gewelf te plukken.

P.A. Daum beschrijft in zijn roman *Goena-goena* 'de angstwekkende geluiden van de branding' en onderstreept daardoor het slechte geweten van een personage dat voor zwarte magie een speciaal ingrediënt uit zee nodig heeft: 'Bij elke golf die op de ongenaakbare rotsen tot waterdamp sloeg, rolde langs het strand een dof donderend geloei, dreigend en klagend van toon.'

Maria Dermoût verwoordt in haar verhaal 'De Zuidzee' indrukken van een vrouw tijdens een strandwandeling met een geliefde, die in wezen ongrijpbaar voor haar blijft: 'Als de golven terug waren gelopen in zee, begon het water gevangen in de grotten en gaten van het rif te lispelen, te zuchten en zacht te klagen […] De zee ruiste altijd door, dichter bij, harder en harder, de doffe stoot van de branding op het zand, de donderslag op het rif, en dan het geklater en geschuur van het terugstromende water vol scherpe schelpen en steentjes en zand, en weer en weer.'

Langs heel de zuidkust van Java wordt Ratoe Loro Kidoel gevreesd en met offers geëerd. In Pelaboehan Ratoe (haar 'haven') blijft een geriefelijke hotelkamer doorlopend gereserveerd voor bezweringen en rituelen in haar dienst, en voor haar logies, mocht zij willen verschijnen. Altijd hebben tot dat doel op onbebouwde en door de bevolking uit eerbied gemeden plekken aan de kust huisjes gestaan. Maar het oord waar de Koningin van de Zuidzee, naar men zegt, al eeuwenlang eenmaal per jaar wel aan land komt, heeft oneindig veel meer prestige dan die bamboe-hutten!

Op de verjaardag van zijn troonsbestijging trekt, ook nu nog, de soesoehoenan van Soerakarta zich na zonsondergang terug in een toren bij zijn paleis om daar strikt privé de zeegodin te ontvangen, die ooit zijn verre stamvader aan grondgebied hielp door kustmoerassen om te toveren tot vaste bodem. De sultan van Djokjakarta stuurt ieder jaar op een vast tijdstip rijke offergaven naar het strand bij Parangtritis. Ook zijn vorstenhuis kan zich beroemen op een speciale band met Ratoe Loro Kidoel.

Het moderne weekendpubliek hecht geen waarde meer aan die oude verhalen, al wordt de traditie in stand gehouden. Maar onveranderlijk indrukwekkend blijft het uitzicht over de met schuimkoppen gekroonde diep-groene en kobaltblauwe Zuidzee.

'Het lage Noorderstrand' roept de herinnering op aan wandelingen van Priok naar Tjilintjing door de vloedbossen langs de kust. In de droge tijd waren daar wel begaanbare paden tussen kreekjes waarin bij laag water de bleke, grillige wortels van de mangrovebomen in hun geheel zichtbaar werden, als bundels beenderen. Aan de oppervlakte van de modderlagen die de overgang tussen zee en land vormden, barstten luchtbellen open, en kropen kleine krabben te voorschijn. Het rook er naar zilt slijk en en vergane plantendelen. Muskieten zwermden in wolken boven de struiken: het enige echt hinderlijke in een omgeving die uitzonderlijk was en daardoor juist tot avontuur prikkelde.

Idyllische vissershutjes zoals dat op Bleckmanns aquarel trof je er niet aan, wel lagen er tussen het geboomte, dieper het land in, hier en daar kamponghuizen van de meest primitieve soort, bamboematten gespannen tussen vier palen, onder een slordig dak van atap. Mensen kwam je maar zelden tegen, en bij de kleine strandjes waar met

Het lage Noorderstrand
Java

de golven allerlei afval aanspoelde, was van visserij ook niets te merken.

Toen Bleckmann dit jeugdwerk schilderde, bestond de haven van Priok nog niet. De schepen gingen voor anker op de rede van Batavia. Van de stad was – volgens een teleurgestelde reiziger omstreeks het midden van de negentiende eeuw – niets anders te zien dan 'Eene lage begroeide kust, en de vermolmde palen van een verbazend lang zeehoofd, op welks einde een klein houten huisje met de vuurbaak.' Met sloepen voer men dan over de rivier Tjiliwoeng naar de Boom, het Kantoor der Recherche.

Het nieuwe havencomplex Tandjong Priok, met loodsen, kaden en aanlegsteigers, is omstreeks 1890 verrezen op een strook van hetzelfde moerasgebied waar wij later zouden wandelen en soms ook fietsen. De 'verderfelijke uitwasemingen' die de plek vroeger berucht hadden gemaakt, werden toen allang met goed gevolg bestreden. Er was ook een strand, de 'Yachtclub', door de (Europese) Batavianen druk bezocht op zon- en feestdagen. De visserij concentreerde zich in Batavia op en rondom de Pasar Ikan. Honderden prauwen, meestal van het type prahoe majang, lagen er dicht naast elkaar gemeerd wanneer de vangst binnen was en op de aangrenzende markt verhandeld werd. In de tijd die ik mij herinner waren dat nog allemaal zeilprauwen, hoewel men wel al proeven nam met buitenboordmotoren.

Voor de kust wemelde het in de visrijke baai van fuiken. 's Nachts leek de zee bezaaid met dobberende lichten: de carbidlantaarns op de prauwen, waarmee de vis gelokt werd. Die lichten waren het eerste van Java dat ik vanuit het vliegtuig zag, toen ik er in 1969 na dertig jaar weer terugkwam.

Bleckmann en Gabriëlse maakten ieder voor de onder redactie van Henri Zondervan uitgegeven serie schoolplaten een schilderij van de 'Chineesche Kamp'. Zo noemde men de al sinds de dagen van de VOC vrijwel uitsluitend door Chinezen bewoonde wijk in de zogenaamde 'benedenstad', het oudste deel van Batavia. Merkwaardig is dat die twee afbeeldingen, op een paar kleinigheden na, precies hetzelfde te zien geven: een gedeelte van een straat, langs een kanaal, met huizen die als 'Chinees' herkenbaar zijn door de typische gebogen vorm van de daken. Er lopen mensen die tot verschillende bevolkingsgroepen behoren: inlandse vrouwen en kinderen, straatkooplui, en ook, heel prominent, een Arabier met zijn zoontje, en (bij Bleckmann) een paar Chinezen die hun haar nog in een lange staart op de rug dragen. Gabriëlse toont een enkele Chinees voor zijn huisdeur, in de traditionele uniseks kledij van donkerblauw jak en broek (zie blz. 18). Het groepje mannen dat op de plaat van Bleckmann ergens op de achtergrond in de schaduw van geboomte gehurkt zit te eten en te praten, is door Gabriëlse naar voren gehaald als klandizie van een flinke warong. We bevinden ons midden in de Chinese wijk, maar van de bewoners en hun leefwijze krijgen we niets te zien. Dat is vreemd, omdat het Nederlands-Indische gouvernement altijd veel belang heeft gehad bij de energie en het aanpassingsvermogen van de Chinezen, die zich in de loop van duizend jaar stelselmatig over de archipel hebben verspreid. Ook zij die zich er blijvend vestigden zijn nergens volledig in de autochtone bevolking opgegaan, maar hebben zich er wel door huwelijken mee vermengd, en zonder moeite zoveel van de lokale zeden en gewoonten overgenomen, dat hun afstammelingen 'peranakans', dat betekent: 'landskinde-

De Chineesche kamp te Batavia
Java

De Chineesche kamp te Batavia

Java

ren', genoemd werden. Desondanks is de verhouding tussen hen en de Indonesiërs nooit probleemloos geweest. Hun handelsgeest (overal fungeerden zij als tussenpersonen), hun meedogenloze opstelling in geldzaken (vooral woekerpraktijken) en ook het feit dat zij zich door de overheid lieten gebruiken om belastingen en tolgelden te innen, hebben hen in de afgelopen eeuwen vaak zo gehaat gemaakt dat de volkswoede in plunderingen en bloedbaden tot uitdrukking kwam. Sinds ook voor hun kinderen lager en hoger onderwijs haalbaar werden (die kinderen waren vergeleken bij inheemse leerlingen al gauw in de meerderheid) onderscheiden de Chinezen zich in vrije beroepen als advocaten, medici, notarissen en tandartsen. Dat succes is hun evenmin in dank afgenomen. In 1946 konden zij die ten minste vijf jaar in Indonesië gewoond hadden het staatsburgerschap krijgen, maar meer dan een miljoen peranakans bleven blijkbaar liever statenloos. Tegelijkertijd was, naar men toen beweerde, zeker tachtig procent van de economie in Chinese handen. Politiek wantrouwen leidde aan het begin van het Soeharto-regime opnieuw tot moord en doodslag. Tegenwoordig is het gebruik van Chinese namen, talen en lettertekens verboden, zijn Chinese scholen gesloten, en mogen Chinese feesten niet meer in de openbaarheid gevierd worden.

Het kleurrijke straattafereel op de schoolplaten doet niets vermoeden van spanningen onder de oppervlakte. Bleckmann schilderde een nog negentiende-eeuwse situatie, en die is bij Gabriëlse (misschien tien jaar later?) eigenlijk nauwelijks veranderd.

De Chinese wijk in Batavia zoals ik die gekend heb, zag er heel anders uit. Het was de allerdrukste buurt van de stad, ook wat het verkeer betreft. Tussen de kantoorge-bouwen (het zakenleven concentreerde zich immers daar) lagen oude Chinese woningen, waarvan de puien schuilgingen onder felgekleurde reclameschilden en uithangborden met opschriften in onleesbare maar vertrouwde lettertekens. Het was een doolhof van winkeltjes, werkplaatsen, eethuizen, opslagruimten. Uitstallingen van de meest verschillende goederen strekten zich uit tot op het plaveisel. Na zonsondergang werd de wijk uitgaanscentrum en flonkerde van lampen en lichtreclames in alle kleuren van de regenboog. Eten bij de Chinees in een van de talloze restaurants was een vaste traktatie voor verjaardagen of wanneer er met een groot gezelschap iets te vieren viel. Ik herinner mij een beroemd adres met hooggelegen galerijen rondom een binnenplaats waar de koks bezig waren in een walm van pittige geuren. Hoogtepunt was het moment waarop een van hen voor de show kroketjes rolde op zijn dikke blote buik voor hij ze in de hete olie gooide.

Het Chinese nieuwjaar trok altijd enorm veel publiek van iedere landsaard. Behalve schitterend en vooral luid knallend vuurwerk, was er de grote traditionele optocht. Een wel tien of meer meter lange draak van beschilderd doek, versierd met spiegeltjes, pluimen, zwierende woeste haardos en glitterornamenten, 'bemand' door dragers wier zichtbare benen het fabeldier op een reusachtige rups deden lijken, danste door de straten. Tussen de meegedragen symbolische voorwerpen vielen het meest de hoge staken op, met bovenaan een stoeltje waarin een klein kind vastgebonden zat, uitgedost in goud en zijde als een godheidje. Dit was een afschuwelijk gebruik, dat later verboden is. De kinderen, die door arme ouders verkocht, en behalve verdoofd soms ook gedeeltelijk verguld werden, overleefden vaak het feest niet.

Huiselijke godsdienstplechtigheid bij de Chineezen
Java

Vooraanstaande, door hun afkomst en opleiding westers georiënteerde Chinezen woonden in mijn jeugd niet meer in wijken zoals de Kamp. In Soerabaja waren mijn ouders in de jaren twintig bevriend met een bekende Chinese chirurg. Vaak waren wij te gast in zijn prachtige huis met manshoge vazen en beelden van Boeddha en de godin Kwan-Yin. Hij organiseerde daar kamermuziekavonden en andere culturele evenementen van een destijds in Indië zeldzame kwaliteit.

Veel peranakans zijn tot het christendom (vooral het katholieke geloof) overgegaan om zo hun voorkeur voor een meer universele levensstijl te benadrukken. Maar naar het schijnt kiezen jongeren tegenwoordig in meerderheid voor een totaal opgaan in de moderne Indonesische maatschappij.

De Chinese Kamp heeft de Europeanen in Indië altijd gefascineerd. Achter de muren van die zo exotisch ogende huizen bestond een Aziatische cultuur die totaal anders was dan de alomtegenwoordige en zichtbare leefwereld van de inheemsen. In Batavia woonden omstreeks 1930 meer dan honderdduizend Chinezen. Zij waren winkeliers, vaklui in de meest uiteenlopende soorten handwerk, of restauranthouders, en verschenen alleen massaal op straat bij een voor henzelf bijzondere gelegenheid: een pompeuze (witte) begrafenisstoet van een rijk of gewichtig lid van de Chinese gemeenschap, of de grote optochten van Tjap Gomeh, hun nieuwjaarsfeest.

Maar hoe ging het er binnenskamers aan toe? Zelden kwam een niet-Chinese bezoeker verder dan het voor-

huis, een soort vestibule waar vaak de lijkkist van het familiehoofd alvast opgesteld stond, een kolossaal gevaarte van een kostbare houtsoort.

Of MENNO's weergave van een huiselijk godsdienstig ritueel op werkelijkheid berust, durf ik niet te zeggen. Voor welke vooroudergeesten of godheden zou de heer des huizes zich ter aarde geworpen hebben? Is hij een volgeling van Boeddha, een taoïst, of een aanhanger van de leer van Confucius? Misschien moet hij voor die vormen van eredienst eigenlijk bij de altaren in een van de Chinese tempels zijn, en richt hij zich hier tot een van de talloze 'kleine' godheden, zoals bijvoorbeeld de Keukengod, die waakt over het zedelijk en economisch welzijn van het gezin.

Welgestelde Chinezen bezaten gewoonlijk prachtig vormgegeven meubilair. Mijn vader bracht van zijn dienstreizen door de archipel in de jaren dertig een aantal fraaie stukken mee, stoelen zoals die op de plaat, en een kast, rood geschilderd en met verguld snijwerk versierd, die nog altijd in mijn woonkamer staat.

Chinese dames uit een peranakanmilieu kleedden zich meestal in sarong en kabaya. De kabaya met van voren twee afhangende punten gold als een Chinese variant. De huisvrouw op de afbeelding heeft een sarong aan met een typisch Javaans voornaam batikpatroon, en dat is ongebruikelijk. Er bestond al eeuwenlang een belangrijke Chinese batikindustrie aan de noordkust van Java, met name in Pekalongan, waar veelkleurige met fantastische bloemmotieven versierde kains werden gefabriceerd, die ook bij Indo-Europese en Hollandse vrouwen zeer in de smaak vielen toen die thuis nog sarong en kabaya droegen, zoals voor 1920 algemeen gebruikelijk was.

MENNO heeft een tafereel geschilderd dat door

scholieren wel met nieuwsgierigheid bekeken zal zijn, maar niets suggereert van de speciale sfeer die voor buitenstaanders een Chinese woning zo geheimzinnig maakte. Geheimzinniger nog waren hun laatste woningen, grafheuvels in de vorm van de moederschoot, met aan weerskanten van de ingang muurtjes waarin men vaak als decoratie antieke porseleinen borden gemetseld had. Dwalen over een Chinese begraafplaats, vooral een al in verval geraakte, had altijd de spanning van een verboden spel. In het verhaal 'Tjoek' beschrijft Vincent Mahieu (een pseudoniem van de Indische schrijver Jan Boon, die zich het liefst Tjalie Robinson noemde) zo'n oud kerkhof tussen de moerassen aan de kust bij Batavia: '[…] het onzekere pad tussen de grafheuveltjes, langs smalle beekjes met bijna stilstaand water, langs vijvertjes, langs woeste met onkruid overwoekerde grafloze stukjes grond en langs verbrokkelde grafruïnes, tot bij een groot verlaten graf met twee leeuwtjes op hoge palen op een terras met grote rode plavuizen, tussen de reten waarvan gras en onkruid groeiden. Daarachter was een in een halve maan gebouwde muur, aflopend en in lage sierlijke krullen eindigend. In het midden hoog, met een grote marmeren deur, waarin Chinese letters in goud. Achter de muur verhief zich de grafheuvel zelf, ongeveer vier meter hoog en twintig meter breed, begroeid met enorme, in elkaar vervlochten struiken lantana.'
Vooral na de Tweede Wereldoorlog was er in Zuidoost-Azië een bloeiende handel in kostbare voorwerpen van porselein en jade, ooit als grafgeschenken meegegeven aan voorname Chinese doden.

Het sawahlandschap, vooral dat in een heuvelachtig gebied, waar de sawahs als terrassen aangelegd zijn, is van een oneindige afwisseling. Geen twee rijstvelden zijn hetzelfde. Binnen het grillige netwerk van dijkjes vormen ze samen een mozaïek van tinten: de pas bevloeide velden zijn blank als stukken spiegelglas, andere al ingevuld met het lichte groen van de jonge aanplant, of met het compacte geel van de rijpe halmen. Bijna altijd zijn de verschillende stadia van bewerking tegelijk te zien.
In de vlakte liggen de dorpen als kleine eilanden van dicht groen tussen hun grote regelmatig gevormde velden. De huisjes gaan schuil onder bamboebosjes en klapperbomen.
Het voorbereiden en omploegen van de grond, het uitzetten van de bibit, de pasgekweekte sprietjes (dit werk wordt altijd door vrouwen gedaan), het bevloeien van de sawahs volgens een ingewikkeld waterleidingsysteem van stroompjes en holle bamboestengels, het bewaken en tegen vogels en klein gedierte beschermen van het opkomende gewas, en ten slotte het oogsten, het halm voor halm kort afsnijden met een speciaal mesje, en de padi (zo heet de rijst dan) tot bossen binden: allemaal zware arbeid! Modernisering (voor zover mogelijk) is nog maar op beperkte schaal ingevoerd.
Ik herinner mij dat er een intense rust uitging van dat landelijke bestaan volgens eeuwenoude leefregels. Verkenningstochten door de sawahs waren hoogtepunten van een vakantie in de bergen: met andere kinderen in een rij lopen over de dijkjes, uitkijken naar bijzondere plantjes, naar de vissen in sommige als kweekvijver gebruikte bevloeide velden, oppassen voor slangen die soms vlak voor je voeten overstaken.

Rijstbouw

Java

Aan de kade te Tandjong Priok

Java

De lucht was vol ijle geluiden, stemmen van mensen, kletteren of knarsen van werktuigen in de verte, en altijd ook wel ergens de klank van een karbouwenbel.
Wij genoten van de vrijheid in die immense ruimte van rijstvelden en bergen, en benijdden de inlandse kinderen die daar altijd mochten leven. De werkelijkheid van het bestaan in de desa was voor ons een gesloten boek.

Zevenmaal heb ik tussen 1920 en 1938 'de bootreis' (een vast begrip!) gemaakt, viermaal van Indië naar Nederland, en driemaal in omgekeerde richting. Die overtochten betekenden – in elk geval na 1920, toen de nieuwe grotere mailschepen in gebruik genomen werden – een verblijf van drieënhalve week aan boord van bijvoorbeeld de Sibayak, de Baloeran, de Dempo van de Rotterdamsche Lloyd (die haar vloot namen gaf van bergen in de archipel) of van de Johan van Oldenbarnevelt, de Marnix van St. Aldegonde of de Johan de Witt van de meer voor grote vaderlanders geporteerde Stoomvaartmaatschappij Nederland.
Mijn vader had als hoofdambtenaar voor zichzelf en zijn gezin recht op reizen eerste klasse. Dat kwam eigenlijk neer op wat wij nu als een cruise beschouwen: ruime hutten, eet-, rook-, muziek- en conversatiesalons, promenadedekken, zwembad, bediening door een stoet van djongossen, vertier in de vorm van dansavonden, bal masqué, wedstrijden. Men ging in avondkleding aan tafel voor het diner.
Onlangs zag ik in een oud tijdschrift foto's van momenten tijdens zo'n bootreis. Vrouwen in lange sluike jarendertigjaponnen, met permanent-wave-kapsels, en mannen in dinner jacket leunen – een glas in de hand – tegen verschansing of bar, of converseren beschaafd in ruimten die (voor alle nieuwe mailschepen) door de bekende beeldend kunstenaar Lion Cachet ontworpen zijn. Het licht wordt er weerkaatst in glanzend houtwerk en in het brons van decoratieve sculpturen.
De dagen werden doorgebracht in dekstoelen of op het voor sport gereserveerde gedeelte van het schip. Bedienden gingen op vastgestelde tijden rond met sorbet of bouillon. Kleine kinderen hadden onder goed toezicht eigen speelruimte. Grotere kinderen profiteerden van de onvermijdelijke luwte in het ouderlijk gezag. Mijn laatste reis maakte ik als twintigjarige. Ik was te oud voor de tieners, en te jong voor de volwassenen, meest echtparen, mensen van middelbare leeftijd. Maar de scheepsbibliotheek bleek rijk voorzien van goede boeken, zoals recente uitgaven van Nederlandse en buitenlandse literatuur. Wat mij betreft had de overtocht langer mogen duren! Terugkijkend kan ik haast niet geloven dat ik dat alles als vanzelfsprekend heb beleefd en aanvaard. De 'wekelijkse boot' was een belangrijk gegeven in het Indische bestaan. Het vliegverkeer stond nog in de kinderschoenen, alleen brieven konden na 1937 mee met de luchtpost. Indrukwekkend was altijd weer het afscheidsritueel wanneer er een boot vertrok. De passagiers hingen over de verschansing en gooiden rolletjes serpentine naar de samengepakte menigte wegbrengers op de kade. Die honderden smalle repen van gekleurd papier braken wanneer het schip zich van de wal losmaakte.
Toen MENNO zijn plaat schilderde bestond die gewoonte nog niet. De passagiers moeten hier wachten tot de lading aan boord is.

Een Wajang-Koelit voorstelling
Java

De wajang – en dan vooral de wajang koelit – is bij uitstek het symbool van Java: een platte, uit buffelhuid gesneden figuur met een bizar gestileerd uiterlijk (het gezicht altijd en profil), en lange armen die door middel van stokjes bewogen kunnen worden. Oorspronkelijk betekende het woord wajang 'schaduw'. Wajangvertoningen, schimmenspel, zijn veel meer dan alleen maar vermaak voor vorst en volk. Zij hebben ook de functie van rituelen, bedoeld om de band te versterken met de mythische voorouders. Voor vorsten en edelen zijn dat de hoofdpersonen van de klassieke heldendichten *Ramayana* en *Mahabharata*. Altijd gaat het om de strijd tussen Goed en Kwaad, als een kosmisch gebeuren. De strenge islam, die een natuurgetrouwe weergave van het menselijke lichaam in de kunst verbiedt, slaagde er niet in de eeuwenoude hindoeïstische verbeeldingswereld uit het bewustzijn van de Javanen te verdrijven. Die wisten het verbod te omzeilen door bij de vervaardiging van wajangfiguren de nadruk te leggen op decoratieve elementen, grillig lijnenspel van krullen en kronkels, en een betekenisvol gebruik van kleur. Zo ontstond de door de moslimgeestelijkheid toegestane groteske vorm van de wajangs.

Wajangopvoeringen duren meestal een hele nacht. Ze worden gegeven bij bijzondere gebeurtenissen in het persoonlijke en openbare leven en hebben altijd plaats volgens vaste voorgeschreven regels. De dalang, een erudiet op het gebied van de klassieke Javaanse literatuur, en een meester in zijn vak, die met een verbazingwekkende handtechniek de wajangs laat vechten, dansen en hoofse of dreigende gebaren maken, draagt ook het verhaal voor. Hij beheerst zijn stem als een acteur, zodat hij alle personages kan uitbeelden in de stijl die past bij hun rol. Hij zingt, begeleid door een gamelanorkest, oude liederen om sfeer te scheppen of een hoogtepunt in de handeling te onderstrepen. Bovendien heeft hij de gave om te improviseren wanneer hij de klassieke Javaanse clowns laat optreden, de vier Panakawans, personificaties van de 'kleine man', die met allerlei grollen en grappen vaak ongezouten commentaar leveren op actuele zaken. De ruimte waarin de dalang werkt wordt in tweeën gedeeld door een groot scherm. Hij zit laag, aan de ene kant, onder een lamp die zo geplaatst is dat de wajangs aan de andere kant als schaduwbeelden zichtbaar zijn. Het was vroeger de gewoonte dat vrouwen en (jonge) kinderen alleen die silhouetten zagen. Achter en rondom de dalang zaten de mannen. Voor hen kreeg het spel extra betekenis omdat zij de kleuren en de kenmerkende details van de verschillende wajangfiguren konden interpreteren. De plaat van MENNO stelt een opvoering in Midden-Java voor, waarschijnlijk in een vorstelijk verblijf. De gestreepte jasjes van een aantal mannen wijzen op hofdienst. Wat ik mis zijn twee liggende pisangstammen waarop wel honderd of meer wajangs vastgestoken zijn, de nobele personages rechts, de slechteriken links van de dalang. De figuren die hij nodig heeft voor het spel staan binnen handbereik. Dat zijn er op de plaat maar heel weinig! Wel beschikt hij over twee waaierachtige gestileerde boom- of bergvormen, die gebruikt worden bij het begin en het einde van een voorstelling, en om pauzes aan te kondigen.

Ik heb ooit een wajangspel bijgewoond in een dorp op West-Java, als hoogtepunt van feestelijkheden bij een bruiloft. Maar daar hanteerde de dalang de in die streek populaire wajang-golek (zonder scherm), driedimensionale marionetten, met houten koppen. Sinds de dagen

Pasar in het binnenland van Java

van Soekarno's bewind dient deze vorm van wajang ook om een sociale of politieke boodschap over te brengen. De taal die de dalang dan gebruikt, is het moderne Bahasa. Er bestaat een wajang pantjasila, over de vijf stellingen waarop de Republiek Indonesië gebaseerd is. Voor het actuele repertoire had men figuren met de hoofden van onder andere Nasser, Tito, Nehru en natuurlijk Soekarno. Ik bezit twee wajang-golekpoppen, een mannetje en een vrouwtje, die in de kampongs het nut van geboortebeperking moesten uitleggen. Zij dragen de kleding van gewone mensen, hun gezichten zijn nauwelijks gestileerd. Wel heeft hij de krijtwitte gelaatskleur die volgens de wajangsymboliek hoort bij een optimistische, verdraagzame persoonlijkheid. Zij maakt een opgewekte zelfbewuste indruk: een jonge Javaanse vrouw van deze tijd.

In 1969 ging ik – op doorreis van Jakarta naar Soerabaya – in Djokja langs bij een Indonesische vriendin. Zij was een werkende vrouw, die altijd tot het middaguur op kantoor bleef. Mijn onaangekondigde komst tegen etenstijd bleek geen probleem. Zij stuurde haar kinderen eropuit, en die kwamen binnen tien minuten terug met een pan vol soto ayam en zorgvuldig verpakte porties nasi gudeg nangka, een rijstgerecht waarin stukken van de vrucht die wij 'zuurzak' noemden, verwerkt zijn. Toen ik vroeg hoe zij dat in die buitenwijk zonder toko's zo vlug voor elkaar gekregen hadden, vertelde mijn vriendin van de kooksters-op-straat. Zij noemde dat een typisch Midden-Javaans verschijnsel, dat nergens zo ingeburgerd was als in Djokja.

Natuurlijk heb ik op pasars, ook in andere streken, altijd wel vrouwen gezien die in de nabijheid van kramen met verse waar hapjes zaten te bakken of te stomen, met niet meer hulpmiddelen dan een houtskoolvuurtje en een paar pannetjes. En overal waren er warongs in alle soorten en maten, vanaf de aan een juk draagbare installatie van de satehverkoper, tot en met het semi-permanente overdekte eetstalletje.

Maar de kooksters-op-straat vormden een categorie apart. Zij hadden in Djokja ieder hun eigen plek waar zij dagelijks op steeds dezelfde uren hun individuele specialiteiten klaarmaakten, en konden rekenen op vaste afnemers. Meestal werd – aldus mijn vriendin – het hoofdbestanddeel van het gerecht thuis gekookt, en later op straat in porties opgewarmd en van sambals en ander 'droog' toebehoren voorzien.

De kookster op de plaat van MENNO heeft haar stek gekozen in een drukke buurt, misschien wel de Jalan Malioboro, de hoofdstraat van Djokja. Zij zal niet de enige geweest zijn, maar vast en zeker is ze gerenommeerd vanwege iets lekkers dat alleen zij zo smakelijk weet te bereiden.

Zoals vrijwel overal in grote delen van Azië, Afrika en Zuid-Amerika is de dagelijkse Indonesische (voedsel)-markt het domein van vrouwen uit het volk. Zij zijn daarin zelfstandig en beschikken over een eigen inkomen, hoe bescheiden dat dan ook is. Die vrijmoedige gewiekste handelaarsters bepalen de sfeer van een pasar.

Het oogstfeest. Optocht van den Sultan met den Resident in Djokjakarta
Java

In 1924 verscheen bij uitgeverij P. Noordhoff in Groningen, in een fraaie omslag met batikmotief, een boekje ter introductie van een reeks schoolplaten over de Vorstenlanden op Midden-Java, naar aquarellen van Menno van Meeteren Brouwer. Die inleiding is geschreven door Johan Koning, een journalist die in 1919 als redacteur verbonden was aan het pas opgerichte weekblad *Het Indische Leven*. Toevallig ben ik in het bezit van die eerste jaargang. Er wordt behalve aan gemengde berichten over de dingen van de dag (met satirische krabbels en illustrerende tekeningen van MENNO) een opvallend grote aandacht besteed aan 'Onze Indische Vorsten', door middel van portretfoto's van de zelfbestuurders der Midden-Javaanse autonome gebieden Djokjakarta, Soerakarta, Mangkoe Negara en Pakoe Alam. Zij stonden in een feodale verhouding tot Nederland, maar ieder had binnen zijn eigen kleine rijk absolute macht. Hun positie was vastgelegd in een buitengewoon ingewikkeld stelsel van overeenkomsten, vooral waar het ging om het gebruik van hun grondbezit door Europese ondernemingen, zoals bijvoorbeeld de suiker- en tabaksindustrie. Vertegenwoordigers van het Gouvernement bewezen hen alle eer, net zoals in de dagen van de VOC, maar wel hoorde de resident, die bij officiële gelegenheden vaderlijk gearmd liep met de sultan of de soesoehoenan, een trede hoger te zitten dan de vorst. Uitbundige oosterse pracht en praal in de trant van *Duizend-En-Een-Nacht* moet men aan de Javaanse vorstenhoven niet verwachten. Er zijn optochten waarin gouden en zilveren, heilige 'rijkssieraden' meegedragen worden door een speciale lijfwacht van vrouwen; achter de vorst, die onder zijn vergulde pajong langzaam voortschrijdt, volgen hoge functionarissen, edelen, soldaten, dienaren en dienaressen, soms zijn lievelingspaard, of een olifant als symbool van macht, maar alle kleuren blijven gedempt: het traditionele blauw van indigo en geel van oker, veel zwart en grijs ook.

Het ceremonieel is altijd strak, voornaam, uitgevoerd volgens sinds eeuwen vastgelegde regels, en erop gericht het peilloze verschil tussen de vorst en zijn onderdanen te benadrukken.

Ik was ooit in de kraton van Djokjakarta. Het viel mij toen op hoe stil het was en hoe kaal, in die pendopo's en zalen met hun glanzende marmeren vloeren en schaars ouderwets meubilair. Maar in die ruimten worden wel de klassieke Javaanse kunstvormen in ere gehouden, de muziek van oude kostbare gamelaninstrumenten, het schimmenspel van de wajang, en de wonderschone dansen van de serimpi's en bedoyo's, als hemelnimfen uit de Hindoemythologie getooide adellijke meisjes.

Johan Koning, door een collega omschreven als een 'politiek-gematigde, conservatieve en ietwat dweepzieke bewonderaar van de eeuwige, onveranderlijke en mystieke oosterse waarden' heeft samen met Menno van Meeteren Brouwer een kant van Indië willen tonen die niet aan de orde gekomen was in de al bestaande reeks schoolplaten van de firma Wolters.

Van alle schoolplaten heeft deze mij het sterkst een 'nostalgisch' gevoel bezorgd. Ik moet denken aan de nevels van de vroege ochtend, vlak na zonsopgang, als het dagelijkse leven op gang komt. Wanneer wij, stadskinderen, ons klaarmaakten om naar school te fietsen door lanen waar dunne mist, met hier en daar schuine banen zonlicht erin, onder de bomen hing, en damp opsteeg van pasgesproeid asfalt, waren op het land de mensen allang op weg naar hun sawahs (zoals de tani op de plaat, die zijn ploegschaar over de schouder draagt), of naar de markten in de buurt van hun dorpen, met volle manden en zakken op hun rug of aan een juk, de vrouwen bovendien vaak met een kind in de slendang.

In de bergen was het dan nog koud, na de nacht, dauw droop van de struiken, het rook er naar houtskoolvuurtjes, overal kraaiden de hanen. De hele natuur leek te wachten op het geweld van de zon, het withete daglicht. Het werk van de boer op de sawah kent geen aanpassing aan zon of regen. De karbouwen trekken de ploeg door de dikke modderlaag, de man drijft de dieren voort met korte kreten en tikken. Er moet een stuk grond klaargemaakt worden voor nieuwe aanplant, opdat er over drie maanden weer iets te oogsten valt (zie blz.6).

Menno van Meeteren Brouwer was een notariszoon uit Zwolle, die pas als volwassen man in 1910 naar Indië ging en aanvankelijk een baan had 'in de rubber'. Als schilder heeft hij zich, behalve door de tropische natuur, ook laten inspireren door het dagelijkse leven. Naast vermakelijke en satirische tekeningen in dag- en weekbladen, waarin hij vooral het reilen en zeilen van de doorsnee 'koloniaal' en diens op veel misverstand berustende omgang met

Ochtendstemming

Java

inlanders aan de kaak stelde, toonde hij in zijn aquarellen
opvallende aandacht voor wezen en werk van de mensen
van het land. Om een indruk te geven van een suikerplan-
tage, koos hij niet voor beelden van de 'fabriek' of van het
moderne treintje met een lange sleep van aanhangwagens
dat het gekapte riet van de velden naar de verwerkings-
installaties bracht (de trots van vele ondernemingen in
die tijd), maar hij liet een inheemse opzichter zien, die
controleert hoe de vanouds voor dat werk gebruikte
ossenwagens volgeladen worden.

Een suikerfabriek
Java

Tabaksbouw in Deli
Sumatra

SUMATRA

'Ook hier spreidt de Natuur hare verhevenste gewrochten ten toon, diepe en breede kloven, door loodrechte rotswanden gevormd, digte wouden, en alom tusschen deze grootse tooneelen, de heerlijkste bloeiende akkers, heldere waterstroomen en vruchtbare landouwen.'

Zo beschrijft C.W.M. van de Velde het landschap van de Padangse Bovenlanden aan de westkust van Sumatra. Hij diende omstreeks 1840 als adelborst op het korvet Triton, dat verre kusten van de archipel aandeed. Onderweg legde hij in tekeningen en aquarellen vast wat hij zag. Die werden later gelithografeerd en met uitvoerige begeleidende tekst uitgegeven in een aan de jongere broer van koning Willem III opgedragen prachtwerk. 'De Zeevaarder', noemde men deze prins Hendrik, de enige Oranje die ooit een langdurige reis naar Oost-Indië heeft gewaagd.

Tot diep in de negentiende eeuw hadden eigenlijk alleen militairen en gouvernementsambtenaren weet van de indrukwekkende 'natuurtafereelen' in de buitengewesten. Toen van 1842 tot 1844 Eduard Douwes Dekker als controleur 2e klasse voor onder andere de pepercultuur en de zoutwinning op Sumatra's westkust gestationeerd was in Natal en Padang, roemde hij (die zich toen nog niet Multatuli noemde) in een opstel 'dit landschap met bergen en bossen, het schoonste dat men zien kan'.

In het kielzog van handel en ontginningen werd de streek ontsloten. Na 1833 begon men 'met buitengewone inspanning en onder overwinning van ontzaggelijke moeilijkheden' (zoals het tekstboekje bij de plaat meldt) dwars door de om zijn steile rotswanden beruchte Anai-kloof een

De Anai-kloof
Sumatra

verkeersweg aan te leggen voor transport van producten uit het binnenland naar de haven van Padang. Het vervoer ging met karbouwenkarren, de zogenaamde pedati's. Ten slotte kon in 1891 op dit traject de eerste Sumatraanse spoorlijn geopend worden. Niet alleen het uitzicht was spectaculair ('Men ziet in de diepte neder, waar de schuimende Anai over zware rotsblokken voortjaagt en kleine watervallen vormt, terwijl het gebergte aan de overzijde met dicht geboomte bezet is'), maar vooral ook de reeks van tunnels en viaducten, bewonderenswaardige staaltjes van moderne techniek. De Anai-kloof en het nog duizelingwekkender Karbouwengat bij Fort de Kock, golden al vroeg als trekpleisters toen het toerisme in Indië op gang kwam.

W.C.C. Bleckmann, die deze plaat gesigneerd heeft, werkte als jongeman tussen 1870 en 1877 een aantal jaren bij het Binnenlands Bestuur. In die kwaliteit moest hij stellig dienstreizen maken. Waarschijnlijk schetste en aquarelleerde hij overal waar hij kwam, net zoals Van de Velde had gedaan, en zoals eigenlijk iedereen met enig tekentalent deed in een tijd toen fotograferen nog een zeldzaamheid was. Misschien gebruikte hij die reisalbums als basis voor zijn twee schoolplaten over Sumatra. Werd de afbeelding van het woeste landschap in de Anaikloof door iemand anders gestoffeerd met nogal stijve poppetjes van inlandse voetgangers, een rijtuigje en een ossenkar? De manier waarop het tekstboekje van Zondervan aandacht vraagt voor juist die details, doet me vermoeden dat zij 'dienstig' geacht werden voor het onderwijs als voorbeelden van lokale kleding en vervoermiddelen. Het zou mij niet verbazen als die toevoegingen afkomstig waren van W. Ising, die op de in de verschillende series aanwezige schoolplaten van zijn hand vrijwel

identieke houterige figuurtjes neerzet. Ook betwijfel ik of de trein en het viaduct door Bleckmann zijn aangebracht. Toen hij als controleur in die streek kwam, bestond de spoorlijn nog niet.

Pajakoemboeh, op een vruchtbare hoogvlakte in de Padangse Bovenlanden, was van oudsher bekend om zijn grote pasar, waar de rijke oogsten aan rijst, koffie, cacao, tabak en kopra verhandeld werden. De streek, het hart van de Minangkabau, 'land van goud en peper', gold dan ook als welvarend.

Een reiziger die in de eerste jaren van de vorige eeuw Pajakoemboeh bezocht, op een dag dat er juist feestelijkheden gehouden werden op de markt, keek zijn ogen uit naar de met goud- en zilverdraad doorweven kains, de vele sieraden en de kunstig gevouwen, aan weerszijden van het gezicht tot gestileerde karbouwenhoorns gedraaide hoofddoeken van de vrouwen (de mannen droegen zwarte baadjes, maar wel afgezet met goudband).

De bezoeker was een fanatieke amateurfotograaf. Hij legde al die 'aanzienlijke inlanders' vast met behulp van speciaal voor opnamen in kleur geprepareerde glasplaten, geleverd door de beroemde firma Lumière in Parijs. Maar ondanks het destijds ultramoderne procédé zijn die foto's te flets uitgevallen om een goede indruk te geven van de door hem in zijn reisverslag zo geestdriftig beschreven 'bonte dooreenwarreling van vroolijke kleurige kleederen in fluweel en zijde met goud, zilver en robijnen (!) in het stralende zonlicht'.

Wel voegt hij er voorzichtig aan toe: 'Met moeite moest

Passer te Pajakoemboeh
Sumatra

men zich dwingen niet te worden meegesleept door te ver gaande vermoedens omtrent den rijkdom en het geluk van dit volk.'

In 1912 organiseerde het Gouvernement een grote land-bouwtentoonstelling in Pajakoemboeh. Er bestonden toen plannen om daar een agrarisch centrum en een proefstation voor inheemse gewassen te vestigen.

De pasar, op een door waringinbomen omzoomd plein, maakt een ordelijke, rustige indruk, ook al is er veel volk op de been. Zo te zien zijn de vrouwen nog traditioneel gekleed, met de slippen van hun hoofddoeken voor alle-daags gebruik langs de wangen omlaaghangend en niet tot ceremoniële 'hoorns' opgerold. Die dracht heeft een diepere betekenis. De karbouw is altijd het symbool van deze zeer oude cultuur geweest. In de afstamming en het erfrecht domineerde de vrouwelijke lijn. Vrouwen hadden ook grote invloed op de methoden van landbouw en handel.

De *Encyclopaedie van Nederlandsch-Indië* uit 1934 bevat in dit verband veelzeggende regels: 'De matriarchale instel-lingen vormden een hechten grondslag der Minang-kabausche maatschappij in de phase der produktenhuis-houding. In de verkeers- en geldhuishouding werken zij veelal belemmerend, zodat zij op den duur zullen moeten verdwijnen, welk proces zich reeds geruimen tijd voltrek-kende is.'

Niet toevallig, denk ik, dateert de schoolplaat uit 1913, uit de periode van groeiende overheidsbemoeienis, gericht op democratische ontwikkeling in westerse zin.

Het Europese gezag voegde groepen dorpen samen tot bestuurseenheden, elk onder een door de bevolking gekozen en door de regering benoemd en bezoldigd (mannelijk) hoofd. Die natuurlijk in eerste instantie voor de politiek van het Gouvernement praktische en voorde-lige maatregel heeft wel degelijk geleid tot de snelle modernisering van een gebied waar de bewoners zich van oudsher onderscheidden door hun energie en intelligentie en, zoals herhaaldelijk gebleken is, door hun – vaak gewa-pend – streven naar onafhankelijkheid.

In de loop der jaren werd Pajakoemboeh als belangrijkste pasar van de streek overvleugeld door de afdelingshoofd-plaats Fort de Kock, het tegenwoordige Boekittingi.

Kaban Djahè is een plaatsje in het land van de Karo-Bataks in Noordoost-Sumatra. Net zoals de Minangkabau had dit gebied een heel eigen cultuur, met ingewikkelde regels voor huwelijkskeuze en voor de omgang tussen de verschillende stammen. De Bataks waren moeilijk te benaderen en golden als ongeschikt voor arbeid in vreemde dienst. De bevolking is lang blijven vasthouden aan animistische gebruiken en vooral aan het geloof in de geesten van gestorvenen. In het begin van de twintigste eeuw kwamen er nog wel gevallen van kannibalisme voor, als bestraffing van een vergrijp tegen de gemeenschap. Men at een misdadiger op om te voor-komen dat hij een kwade geest zou worden.

Beroemd waren de paarden die zij fokten, Batakkers, een klein maar sterk ras. Op hun markten verkochten zij rijst en vruchten, en producten van huisindustrie, zoals potterie, weefsels, koperwerk en met kleursel van de indigoplant geverfde stoffen. Toen Louis Couperus in 1921 een Batak-dorp in de omgeving van het Tobameer bezocht, viel het hem op dat haast alle mensen blauwe kleding droegen, en blauwe vingers hadden van het

Passer te Kaban Djahè
Sumatra

verven. In zijn reisboek *Oostwaarts* beschrijft hij het uiterlijk van de vrouwen: 'Zij dragen recht over den boezem getrokken hun blauwe kains; een blauwe lap over den schouder, en haar hoofddoek is vreemd tot een zwaar kussen geplooid om haar hoofd, met een punt die uitsteekt.' Dat zware kussen ontstond wanneer zij kledingstukken die hun in de loop van de dag bij het werk hinderden, of te warm bleken, op hun hoofd stapelden. Een opvallend onderdeel van hun dracht waren de grote zilveren oorversierselen in de vorm van 'dubbele krakelingen'. Een Batakmeisje gaf er Couperus een in de hand, volgens hem woog het ding wel een kilo. In dat dorp zag de schrijver ook mannen rondlopen die, zoals hem verteld werd, 'nog oude menseneters waren'.

De pasar op de plaat is maar klein. De koopvrouwen zitten bij de ossenkarren waarin zij hun waren (zo te zien fruit) vervoerd hebben. De trekdieren zijn uitgespannen. Een publieke kookster – op alle markten een onmisbare figuur – is bezig hapjes te bereiden boven een tussen stenen gestookt vuurtje. De grote parasols, destijds typisch voor pasars op Sumatra, maken het opzetten van kramen overbodig.

De Bataks zijn, net als de Minangkabauers, energiek en intelligent, met een uitgesproken aanleg voor de exacte vakken (en, zegt men, voor het schaakspel). Indonesiërs, afkomstig uit die Sumatraanse gebieden, spelen tegenwoordig een belangrijke rol aan de universiteiten, in de handel, de journalistiek, de vrije beroepen, en in islamitische organisaties. Van de jonge dichters en schrijvers in het Maleis, die zich na de oorlog als een nieuwe literaire generatie presenteerden (Angkatan '45) was de helft Minangkabauer.

Deze aquarel van Johan Gabriëlse is vermoedelijk gemaakt om een eerdere, minder geslaagde plaat van W. Ising te vervangen (zie blz. 36). Leg je ze naast elkaar, dan zie je dat de verschillen, wat het getoonde betreft, miniem zijn. Op beide platen kijken we als het ware vanaf een toren uit over een veld met tot de horizon reikende evenwijdige perken vol hoog opgeschoten tabaksplanten, of liever 'bomen', zoals men ze noemde. Maar de kleuren van Gabriëlse zijn levendiger, de details scherper en meer uitgewerkt. De overdekte kweekbedden, de fabrieksloodsen, het fraaie administrateurshuis en de onmisbare ossenkarren voor het vervoer van de oogst zijn goed zichtbaar (ook de auto waarin de administrateur op inspectie gaat, en de twee werkkrachten met de hoed in de hand aan de kant van de weg), het zijn allemaal elementen die de onderwijzer de gelegenheid gaven uit te weiden over het drogen, pletten, fermenteren, sorteren en snijden van het tabaksblad, en de verdeling van de arbeid op de onderneming.

Het commentaar in het tekstboekje (van na 1920) vermeldt hoe 'vroeger voor elken nieuwen aanplant een groote oppervlakte zwaar oerwoud gekapt en in brand gestoken moest worden', en wijst nadrukkelijk op alle recente verworvenheden zoals machines, moderne transportmiddelen en de volgens de auteur voor de inheemse bevolking gunstige ontwikkeling van 'de vrije teelt van gewassen voor de Europese markt'. Dat betekende immers werk voor vele duizenden mensen! In de praktijk viel er nogal wat af te dingen op die rooskleurige voorstelling van zaken.

Het ontstaan van de tabakscultuur in Deli heeft veel weg van een avonturenroman. Na talloze mislukte pogingen om op Java een goed product voor export te kweken,

Tabaksbouw in Deli
Sumatra

kreeg in 1862 een Nederlandse ondernemer, J. Nienhuys, bezoek van een zekere Abdullah, die zich voorstelde als een vorst uit Noordoost-Sumatra. Hij gaf zo hoog op van de superieure kwaliteit van het tabaksblad in zijn gebied dat Nienhuys en zijn zakenrelaties onmiddellijk besloten de mogelijkheden van exploitatie aldaar te gaan onderzoeken. De lange reis per zeilschip naar de oostkust van Sumatra, met zijn ondoordringbare oerwouden vol wilde dieren en vijandige Bataks, was extra gevaarlijk vanwege de wijd en zijd beruchte Maleise zeerovers. Abdullah bleek geen vorst maar een doodgewone oplichter te zijn. Wat hij over de tabak verteld had, was echter wel waar. Dankzij een goede verstandhouding met de sultan van Deli kon Nienhuys (toen de enige Europeaan in dat gedeelte van Sumatra) voor een spotprijs veel grond in erfpacht krijgen. De eerste aanplantingen gingen verloren door orkanen, zware regenval, plunderende en vernielende Bataks, en rondzwervende kudden olifanten. Ten slotte werd er toch winst gemaakt, op den duur zelfs zoveel dat het aantal ondernemingen snel toenam. Omdat de Bataks weigerden op de plantages te werken werden er arbeidskrachten uit China aangevoerd, later ook duizenden verpauperde Javaanse boeren, de zogenaamde contractkoelies. In 1880 vaardigde het Gouvernement de eerste 'Koelie-ordonnantie' uit, een speciale arbeidsregeling, waarbij (zoals de overheid het formuleerde) 'verbreking van het arbeidscontract door den werknemer met vrijheidsstraf bedreigd werd'. Dit systeem heeft geleid tot onrechtvaardige en wrede behandeling van weggelopen en weer opgepakte koelies, die overigens ook zonder dat in vaak mensonterende omstandigheden moesten leven. Hetzelfde gold voor de werkkrachten op de latere rubberplantages in Deli. Pas in

1931 werd de 'poenale sanctie' afgeschaft. Stellig hebben de destijds opzienbarende kritische romans *Rubber* (1931) en *Koelie* (1932) van de schrijfster Madelon Székely-Lulofs ertoe bijgedragen dat men zich in brede kring rekenschap gaf van de misstanden in die grote winstgevende cultures.

De sabanghaven op Poeloe Weh
Sumatra

Poeloe Weh, of liever de hoofdplaats van dat eiland, Sabang, was de eerste Indische haven die schepen op de Holland-Indiëlijn aandeden. Altijd ging de aankomst gepaard met emotie: verrassing en nieuwsgierige spanning bij de passagiers die voor het eerst de reis maakten, en vreugde om het weerzien bij degenen die terugkeerden en zich bij de aanblik van de kokospalmen op die kust ineens 'thuis' voelden. De 'terreinen en havenobjecten, geëxploiteerd door de N.V. Zeehaven en Kolenstation Sabang', door de schilderes mevrouw P. van Heerdt-Quarles zo zorgvuldig weergegeven op de schoolplaat (vermoedelijk gekopieerd naar een foto), laat ik nu maar voor wat ze waren, en ik neem de vrijheid een stukje te citeren uit mijn boek *Zelfportret als legkaart*. Het is 1928, na een verblijf in Holland staan mijn ouders, mijn broer en ik, weer op Indische bodem.

'Onder de hoge bomen rook het al naar oerwoud, vermengd met een prikkelende zilte geur die de wind aanvoerde van ver over de Indische Oceaan. Geiten, kippen en karbouwen liepen over de weg, of stonden kalm grazend en pikkend onder de klappers en de grijzige kapokbomen achter de berm. De wekelijkse stortvloed

van mailbootpassagiers scheen geen inbreuk te maken op het gewone dagelijkse leven van het eiland buiten het stadje Sabang. De kooplui, die bij aankomst van een schip hun waren uitstalden op de kade, de eethuizen en winkels en rijen toer-auto's achter de haven, gaven de indruk tot een op zichzelf staand bedrijf te behoren. De reizigers die de tocht naar het strand ondernamen, vonden daar (tenminste in de tijd die ik mij herinner) geen toeristen-service. Had men dorst, en niet zelf iets te drinken meegenomen, dan ging de autobestuurder met behulp van een van de vele geiten-katjongs op zoek naar een gave kokosnoot tussen de onrijpe afgevallen vruchten en verdroogde stukken schil die in overvloed onder de bomen lagen. Voor een paar centen klom de jongen overigens bliksemsnel omhoog langs de stam om daarboven uit de tros een noot te kappen. In de dop werd een gat geboord, daarna dronken wij het sap, dat koel was en flauw smaakte naar het vruchtvlees.

Achter het schaarser wordende geboomte werd de zee zichtbaar, een blinkende baan. Door het struikgewas, over halfverteerde stronken en bastrepen heen, liepen wij naar de strook witglinsterend zand. Hier groeiden de klappers schuin naar het water, hun lange veervormige in franje gespleten bladeren ritselden in de bries. De zon stond in het zenit. Het licht danste op de golven, op het bewegende groen van de bomen langs de kust. Er hing een sterke lucht van vis en zoutwatermodder. Het strand was bezaaid met schelpen en stukken poreus witgebleekt kraakbeen van grote vissen, en brokken koraal. Wij hoefden ons maar te bukken. '

BORNEO

Er zijn twee schoolplaten van het 'Gezicht op de Barito', de op een na grootste rivier van het rivierenrijke Kalimantan. Ik vraag me af of ze gebaseerd zijn op een foto uit 1915, die ik onlangs in een boek tegenkwam. Die lijkt genomen in Bandjermasin, de hoofdplaats van wat in die tijd het district Zuid-Borneo heette. Het begeleidende tekstboekje spreekt van de 'kampong' aan de benedenloop van de Barito. Er is niet veel anders te zien dan wat primitieve huizen van bamboe en atap die op palen in het water staan, of lijken te drijven op vlotten van aan elkaar gebonden boomstammen.

Het is mogelijk dat W. Ising, die de eerste plaat maakte, niet de foto als voorbeeld gebruikte, maar naar de natuur gewerkt heeft. Hij was een artistiek aangelegde kapitein bij het Koninklijk Nederlands Indische Leger, en kan beroepshalve in Bandjermasin gestationeerd geweest zijn. Later heeft de schilder J. Gabriëlse het beeld aangepast aan de actualiteit (zie blz. 2). Het is wat drukker op het water, al blijft de bebouwing op de oevers die van een kampong, en bestaat de stad (op een kleine strook vaste grond in het centrum na) uit een netwerk van kanalen. Een Venetië van het Oosten!

Bandjermasin was al sinds meer dan honderd jaar een centrum van handel en nijverheid geweest, met een multiculturele Zuidoost-Aziatische bevolking van vooral Chinezen, Javanen, Boeginezen en Arabieren. De sawahs in de moerassige delta leverden rijst, in rivierbeddingen werd goudhoudend gruis gevonden, er waren een paar diamantmijnen. Dat laatste vooral trok handelaars en avonturiers aan. Dajaks uit het binnenland zakten in hun smalle prauwen de stroom af om bosproducten (rotan),

Kampong in het Barito-stroomgebied
Borneo

peper en knollen en vruchten van eigen erf te verkopen. Pas omstreeks 1880 kregen Nederlandse ondernemers belangstelling voor het gebied. Er waren oliebronnen ontdekt! Shell begon in 1895 met de boringen.
De productie en verwerking kwamen in handen van de Bataafse Petroleum Maatschappij. Voortaan gold Bandjermasin als een van de belangrijkste havens in de archipel.
Toen Gabriëlses 'vernieuwde' plaat in gebruik genomen werd, was het Gouvernement druk bezig met de aanleg van wegen naar het nog onontsloten binnenland. Voor die tijd ging alle verkeer via de rivieren, maar ook dan waren er talloze obstakels te overwinnen, stroomversnellingen, ondiepten, rotsblokken die de doorgang versperden. Een controleur vertelt in zijn memoires dat hij er 54 uur over deed om van Bandjermasin naar een niet eens zo heel ver landinwaarts gelegen plaats te komen. Herhaaldelijk moest hij gedeelten van de tocht te voet afleggen door het dichte oerwoud op de oevers, terwijl de roeiers wadend of zwemmend de boot naar beter vaarwater sjorden.
Wie zich een indruk wil vormen van het leven en de sfeer in een enigszins met de delta van de Barito te vergelijken plek in Borneo aan het einde van de negentiende eeuw, moet *Almayers' Folly* (1895) lezen, de schitterende roman van Joseph Conrad over een Nederlander die – tevergeefs – hoopt schatrijk te worden door de ontdekking van een goudader of een diamantmijn.

De Dajakdorpen aan de bovenloop van de Barito bestaan vaak nog uit niet meer dan een enkel 'langhuis' op palen, met woonruimte voor wel dertig gezinnen. Zo'n huis heeft ook een belangrijke functie als centrum voor rituelen en feesten. Nu steeds meer toeristen tochten willen maken naar de echte jungle, om een glimp op te vangen van zeldzame wilde dieren (pythons! krokodillen! orang oetans!), en van het dagelijkse leven dat een primitieve volksstam leidt (want als zodanig worden de Dajaks nog beschouwd), bieden sommige langhuizen goedkoop logies in een omgeving zonder hotels. Het is natuurlijk een onbetaalbare sensatie om op een mat te slapen tussen afstammelingen van koppensnellers!
In haar verhaal 'Vakantie als avontuur' roept de schrijfster Beb Vuyk (een van de belangrijkste auteurs uit onze Indische belletrie) een beeld op van het inwendige van zo'n woning waar zij en haar man omstreeks 1950 eens een nacht doorbrachten. Het was er vuil, maar gezellig, met los rondlopende kippen en honden op de galerij langs de kamertjes van de gezinnen onder het hoge, dichte bilik-dak. 'Hier hangt het spinrag van tientallen jaren als vanen van de balken. Hier hangen ook de zwart-berookte mandjes met schedels, groenig uitgeslagen tot de kleur van eende-eieren.'
De Barito-Dajaks beschouwen zich als afstammelingen van de Banjars, de oorspronkelijke bewoners van de delta. Toen driehonderd jaar geleden de islam de kuststreken veroverde, zijn de mensen die geen moslims wilden worden, naar het bergachtige en dichtbeboste binnenland getrokken. Zij hielden vast aan hun animistische gebruiken, en dan vooral aan een vorm van voorouderverering die tot uiting komt in de periodieke viering van

Groot Dajaksch huis
Borneo

een wekenlang durend dodenfeest. Dan worden de stoffelijke resten van de sinds de vorige plechtigheid gestorven
dorpsgenoten uit een voorlopig graf of bewaarplaats
gehaald, en met groot ceremonieel, om hen te eren en
gunstig te stemmen, op weg geholpen naar het zielen-
land. Beb Vuyk was destijds getuige van het wrede
dierenoffer – 'Vroeger namen we daar gevangenen voor,'
vertrouwde een van de gastheren haar toe –, van de
muziek en de rituele dansen, onder andere een eeuwenoude oorlogsdans, 'tegelijkertijd wild en verfijnd', uitgevoerd door met zwarte veren en pantervellen getooide
gewapende mannen. 'De troms en gongs sloegen een
ritme dat door de dansers werd versterkt met het
stampen der voeten en wilde kreten. De bewegingen
bootsten het vliegen na, het neerstorten van een vogel op
zijn prooi.'
Beb Vuyk was onder de indruk van de kunstvaardigheid
(onder andere het schitterende vlecht- en houtsnijwerk)
van deze Dajaks, maar werd ook bevangen door gevoelens van angst en onbehagen. Onder de algemene welwil-
lendheid leken niet te peilen of te berekenen atavistische
opwellingen schuil te gaan. Nog in het voorjaar van 1999
zag een Nederlandse journalist in een Dajakdorp langs de
weg op speren gestoken hoofden van Madurese trans-
migranten die in een gevecht met de vijandig gezinde
autochtone bevolking het onderspit gedolven hadden.

De oliestad Balik-Papan
Borneo

Deze plaat lijkt gekopieerd naar een panoramafoto
uit het begin van de vorige eeuw. Die toont
hetzelfde uitzicht, vanaf een heuvel genomen: de nog
kleine nederzetting, in halvemaanvorm gebouwd langs de
baai, de haven met fabriekloodsen, een tankschip aan de
steiger, en enkele reservoirs voor petroleum, benzine en
residustoffen. De schilder heeft het beeld aangepast aan
de situatie van omstreeks 1920. Het aantal olietanks (ze
zijn opvallend wit op de plaat) blijkt aanzienlijk toegenomen, maar er is niets te zien van de vele booreilanden
die op een andere foto, uit 1905, een indrukwekkend

beeld geven van de bedrijvigheid op wat toen nog het 'terrein Louise' heette, een zogenaamde concessie in de kustmoerassen aan de rand van de wildernis.

Sinds 1897, toen door Shell de eerste oliebron werd aangeboord, heeft Balikpapan zich in hoog tempo ontwikkeld tot (aldus Henri Zondervan in 1922 in het tekstboekje bij de serie) 'de hoofdzetel van De Bataafse Petroleum Maatschappij, de grootste oliefabriekstad ter wereld, waar meer dan 65% van alle Indische olie verwerkt wordt. Talrijk zijn dan ook hier de modern ingerichte fabrieken: destilleerderij, raffinaderij, blikken-fabriek, fabriek voor ijzeren vaten, de grootste paraffine-fabriek op aarde, fabrieken voor smeer- en andere oliën en zwavelzuur, zagerijen, steenbakkerijen, enz. Daarbij bezit de plaats een elektrische centrale, een station voor draadloze telegrafie, een menigte kantoren, woningen en instellingen van allerlei aard. De Bataafsche beschikte in 1921 te Balikpapan over 55 vaartuigen tot verscheping van haar produkten. Alleen aan benzine werd dan ook in genoemd jaar 160.000 ton, aan petroleum 120.000 ton en aan vloeibare brandstof 863.000 ton verscheept. Voor weinige jaren nog zo goed als onbekend, telt de plaats

thans reeds 497 Europeanen en 147.000 Aziaten in dienst der Bataafsche, verder talrijke Chinezen en Japanners, die er als handelaars of ambachtslieden wonen, en een vrije inlandsche bevolking van Bandjarezen, Boeginezen, e.a.' En hij besluit: 'Kortom, een modelstad, een plekje moderne beschaving te midden der eenzaamheid van het oerwoud.' (In elk geval een dat al gauw een speciaal etiket opgeplakt kreeg door de associatie van die tak van industrie met techniek en experiment. De 'Olie' had, naar destijds gezegd werd, veel invloed op de politiek in Nederlands-Indië en op de benoeming van bestuursambtenaren.)

In *De zondvloed*, het derde deel van zijn 'Indische romans', roept Jeroen Brouwers een beeld op van het Balikpapan waar hij in 1947 als kind korte tijd heeft gewoond. In januari 1942 hadden de Nederlanders alle olievoorraden en installaties vernietigd, opdat die niet in de handen van de Japanners zouden vallen. Voor de kleine jongen bestond Balikpapan 'nog maar uit verwrongen staalskeletten, puinhopen en wrakken – alles verkoold en geblakerd, aangeraakt door de dood en na korte tijd alweer overwoekerd door de natuur die hier niet door haarzelf maar door goden en geesten wordt geleid. […]

Ik herinner nog: gigantische rotzooi, en dat deze een jaar of anderhalf à twee mijn paradijs is geweest. […]

Waar de olietanks in brand hebben gestaan zorgt de regen voor een bijkomend natuurverschijnsel: alles dat nat wordt raakt overdekt met droomachtig mooi gekleurde, bewegende petroleumvlekken. Als op de voormalige verkeerswegen de kuilen en kraters met regen zijn gevuld, borrelen uit de zacht geworden aarde petroleumbellen omhoog, die openspatten terwijl ze opstijgen en

hun kleuren sliertvormig over het water verspreiden. Soms trekken wij het enkele kledingstuk dat wij dragen uit, springen joelend door de regen en laten ons in zo'n kuil vol regenwater vallen – als daarna de zon weer schijnt is ons lichaam overdekt met in grillige vormen verlopende kleuren die ons in bloemen lijken te hebben veranderd, maar enkele minuten later zijn die kleuren verdampt.

Als het regent neemt ook de zee die droomkleuren aan en werpt de branding regenboogkleurige vlokken op het strand.'

Die zowel sprookjesachtige als spookachtige sfeer (een belangrijke bron van Brouwers' schrijverschap) bleek even vergankelijk als de periode van verwoesting. Balikpapan herrees uit de as, en werd door het Indonesische Pertamina weer in bedrijf genomen. Maar het zou nooit meer oliestad nummer een zijn.

Wel ontwikkelde het zich tot een veelbezochte, zelfs mondain genoemde badplaats, een uitgaanscentrum met hotels en restaurants die zich volgens de deskundige reisgids *Lonely Planet* kunnen beroemen op internationale klasse.

In het oerwoud achter Balikpapan bevindt zich tegenwoordig een speciaal gebied waar orang-oetans die in dierentuinen geboren en opgegroeid zijn, weer in hun natuurlijke habitat worden teruggeplaatst.

DE
MOLUKKEN

Hoe hebben de zeevarende kooplieden van de Verenigde Oostindische Compagnie omstreeks het jaar 1600 hun ontdekking van de Molukken ervaren? Waren zij betoverd door die paradijselijk mooie eilanden in hun krans van glinsterend wit koraalzand, door de kristalheldere blauwgroene zee, de bontgekleurde vogels? Of hadden zij alleen maar oog voor al die bomen beladen met een rijke oogst aan peper, muskaatnoten en kruidnagelen? Specerijen waren toen in Europa felbegeerd, hun gewicht in goud waard omdat zij bederfelijke vlees- en visgerechten langer smakelijk hielden.

Met harde middelen hebben de Hollanders hun monopolie op dit oudste gebied van hun Oost-Indische veroveringen gehandhaafd, totdat de cultures van andere streken winstgevender bleken, en ook elders in en buiten de archipel op ruime schaal specerijen werden verbouwd. De tuinen van de 'perkeniers' raakten in verval. Alleen hier en daar in de Molukken bestond in de tijd toen J. Gabriëlse dit tafereel schilderde nog wel een klein bedrijf voor muskaatnoten. Mannen slaan met lange stokken de vruchten uit de bomen, anderen, meestal vrouwen, breken de schillen open, pellen er de bloedrode foelie uit en sorteren de noten. Na afloop van het werk krijgen zij hun loon uitbetaald aan het tafeltje van de opzichter.

De sfeer van de Molukse eilanden is nooit mooier beschreven dan door Maria Dermoût in *De tienduizend dingen* (1955), een verzameling verhalen rondom een al lang verlaten specerij-'thuyn' en een oud perkeniershuis op Ambon. Zij heeft haar eigen waarnemingen verrijkt met beeldende bijzonderheden uit de geschriften van de

Muskaatnotenbedrijf op de Banda-eilanden
De Molukken

zeventiende-eeuwse bioloog en plantkundige Rumphius, die op de eilanden leefde en werkte (zijn woning staat er nog), en de wonderen van de Bandazee te boek stelde: de schelpen (hij doopte ze Knoddekens, Amoretjes, Tygerstongen, Muziekhoornen), het veelkleurige koraal, en de als scheepjes van kristal voor de wind zeilende kleine kwallen die 'besaantjes' genoemd worden.

Toerisme is nu het meest winstgevende product van de eilanden. Bezoekers vinden er souvenirs geknutseld uit kruidnagelen en kunstig gesneden parelmoer, zij kunnen duiken en snorkelen bij duizend en één stranden voor hen alleen, en de tot ruïnes vervallen of weer gerestaureerde oud-Hollandse forten bezichtigen. Ook kan men op Bandaneira wandelen langs de huizen waar Hatta en Sjahrir, de grote voormannen van de Indonesische onafhankelijkheidsstrijd, als politieke ballingen een aantal jaren doorbrachten. Twee eilanden zijn naar hen genoemd, als eerbetoon.

Er wordt verteld – maar ik weet niet of het waar is – dat de Engelsen in 1667 Roen, het meest excentrisch gelegen eiland van de Banda's, aan de Oost-Indische Compagnie afgestaan hebben in ruil voor Manhattan. De Hollanders vonden die plek aan de kust van Noord-Amerika waarschijnlijk niet zo interessant, omdat er geen muskaatnoten groeiden!

BALI

Lijkverbrandingen op Bali zijn eigenlijk geen rouw-
ceremonieel, maar feest. De Hindoes geloven dat
de ziel van de dode door het vuur gereinigd en vrijge-
maakt wordt voor zijn tocht naar het hiernamaals en de
wedergeboorte. Die laatste reis begint spectaculair, met
optochten, offeranden, prachtige versieringen, gamelanmuziek en een begeleidende stoet van alle dorpelingen in
hun mooiste kleren (met bladgoud bedrukte kains, glin-
sterende sjerpen, bloemslingers). Omdat het een zeer
kostbare aangelegenheid is, worden de overledenen van
families die zich zo'n crematie niet kunnen veroorloven
eerst begraven tot er een voornaam en rijk lid van de
gemeenschap sterft, en dan met diegene mee verbrand.
De stoffelijke resten, soms niet meer dan een paar botten,
bergt men in de buik van bont beschilderde dierfiguren
van hout en dun bamboevlechtwerk. Het ritueel concen-
treert zich natuurlijk om het lijk van de hoofdpersoon.
Gewikkeld in een meterslange baan wit doek krijgt het
een plaats in een toren van soms wel tien of meer verdie-
pingen, die door de dragers in woeste vaart meegesleurd
en rondgedraaid wordt. Die – voor buitenstaanders
schokkende – weinig eerbiedige behandeling, waarbij het
witte lijkkleed zich ontrolt en de omstanders telkens een
glimp van het meestal al in verregaande staat van ontbin-
ding verkerende lichaam te zien krijgen, is bedoeld om
boze geesten op een dwaalspoor te brengen. Zij mogen
de ziel, die nog in het lijk huist, niet tegenhouden.
Op de plek voor de verbranding legt men de dode in de
mooiste en grootste dierenvorm, gewoonlijk een stier of
een koe. Onder groot gejuich wordt dan het vuur aange-
stoken, en net zolang opgepord en met vers materiaal

Lijkverbranding op Bali
Bali

gevoed tot er niets overblijft dan as.

Veel offerplechtigheden en godsdienstige feesten lijken tegenwoordig ook als spektakel voor toeristen te worden opgevoerd. Het is misschien beter te zeggen dat Balinezen er geen moeite mee hebben de talloze kleine en grote ceremoniën die hun bestaan zin geven, te delen met publiek.

'Toeristen verbeelden zich – omdat zij toegangsgeld moeten betalen en de lokale bevolking niet – dat Balinezen spelen en dansen voor hun plezier. Wat een ijdele onzin!' aldus de schrijver-journalist Duco van Weerlee, die heel lang op Bali heeft gewoond en als geen ander de zeden en gewoonten van de mensen op het 'eiland der goden' kent. Het meest fascinerende van die samenleving, waar meer tempels zijn dan huizen, en waar elke boom een eigen gezicht bezit, is volgens hem 'dat het leven er zijn irrationele dimensies nog niet verloren heeft'.

Ik citeer een paar regels uit zijn boekje *Indische koortsen*: 'In wezen is de Balinese cultuur – variërend van de meest verfijnde methoden van akkerbouw tot magische finesses bij de lijkbezorging – niets anders dan een complexe strategie om de onzichtbare machten in het gareel te houden die de mens treffen met ziekten en vulkaanuitbarstingen, zakelijke voorspoed en kinderrijkdom. Tegenover een blind noodlot dat slechts passief en angstig kan worden ondergaan, stelt de Balinees een kosmologische visie die hem de ruimte laat tot vernuftig verweer. Dat levert een hoogwaardig schouwspel op, een werveling van ceremonieel en dans, gamelanmuziek en wajangpoppenkast, dat niet anders kan dan de goden inspireren tot welwillende gedachten. Balinese cultuur is overlevingskunst.'

Die kunst hebben zij in het verleden vaak hard nodig gehad. Niet alleen bij natuurrampen, maar ook in tijden van vijandelijk geweld. Verbazingwekkend was dan de gelatenheid waarmee zij het lot ondergingen dat de goden blijkbaar over hen beschikt hadden. De vorst van Badoeng en zijn hovelingen (mannen, vrouwen en kinderen) pleegden collectief zelfmoord door, in ceremoniële feestkledij en slechts gewapend met hun krissen, het geweervuur van het Koninklijk Nederlandsch-Indische Leger tegemoet te treden toen dat hen in 1906 'onder de leiding van het Europees bestuur wilde brengen'.

Over deze tragische episode in de koloniale geschiedenis heeft de destijds internationaal beroemde Duitse auteur Vicki Baum een prachtige roman geschreven, *Das Ende der Geburt* of: *Liebe und Tod auf Bali*, gebaseerd op authentieke documenten. Tijdens de beruchte zuiveringsacties in 1965 onder het nieuwe bewind van Soeharto, lieten grote groepen dorpelingen die van communisme verdacht werden zich zonder verzet afslachten. Gruwel en dood zijn altijd aanwezige, voelbare elementen in die op het oog zo feestelijke en zinnelijke cultuur van Bali.

De plaat is geschilderd door Johan Gabriëlse (1881-1945), die zijn opleiding ontving aan de Amsterdamse Kunstacademie. De schetsen die hij maakte tijdens een rondreis door de archipel in de jaren 1920 en 1921, werden in 1931 gepubliceerd ter gelegenheid van de Internationale Koloniale Tentoonstelling in Parijs. De Nederlandse paviljoens daar vielen op door de exotische vormgeving en het prachtige expositiemateriaal. Helaas ging een deel daarvan verloren toen er brand uitbrak.

Gabriëlse keerde terug naar Indië, waar hij tijdens de Japanse bezetting in 1945 in het interneringskamp Ambarawa overleed.

CELEBES

De Minahasa is het noordoostelijke deel van het schiereiland dat als een lange smalle arm vanuit het grillig gevormde Celebes naar het noorden reikt. Men heeft dit gebied wel de 'twaalfde provincie van Nederland' genoemd. De VOC had al omstreeks 1650 ontdekt dat de vruchtbare bodem goed verhandelbare oogsten aan kopra, rijst en ijzerhout opleverde, er een factorij gevestigd en een fort gebouwd. De bevolking – een stam van de Alfoeren – gold als krijgshaftig maar ook leergierig en trouw. Dankzij de zending, zowel de rooms-katholieke als (vooral) de protestantse, bekeerden de mensen zich in de loop van de negentiende eeuw massaal tot het christendom.

Voor hij Multatuli werd, was Eduard Douwes Dekker van 1849 tot 1852 in Menado, de hoofdplaats van de Minahasa, gestationeerd als bestuursambtenaar met de bevoegdheden van 'gewestelijk secretaris, vendumeester, ontvanger der belastingen, en voorzitter van de wees- en boedelkamer'. Naar eigen zeggen bracht hij daar met zijn vrouw de gelukkigste jaren van zijn leven door. Hij noemde de Minahassers werkzaam en vlijtig, 'zeer vatbaar voor toegenegenheid en daardoor voor onderwerping aan hooger gezag' en geneigd 'zich in hunne leefwijze gaarne te schikken naar europische (!) zeden en gebruiken'. Veelzeggend is ook zijn opmerking in verband met de voor die tijd gulle bijdrage van het Gouvernement aan 'het onderwijs der inboorlingen': 'Het algemeen maken der kennis van de Maleische taal onder de ingezetenen van Menado is zeer geschikt om eene meerdere toenadering van de bevolking tot het Gouvernement te bevorderen.'

Minahasa
Celebes

In het tekstboekje bij de plaat haalt Henri Zondervan een uitspraak aan van Dr. Pfluger, een Duitse wetenschapper die zeer onder de indruk kwam van de Minahasa, volgens hem 'het kleinood der Nederlandsche koloniën': 'In het begin der negentiende eeuw leefde hier nog een halfwild volk met een phantastisch geestengeloof, de edele sport van koppensnellen en menscheneten beoefenend; thans treft men er, onder den invloed van een vaderlijk-despotische regering, de gedwongen koffiecultuur en de zending, een beschaafde, vlijtige bevolking aan, Zondags in een zwart pak naar de kerk wandelend, op school in de kunst van lezen, schrijven, rekenen en nog veel meer onderwezen.'

Op de plaat zien we het Pietersplein in Menado. Het witte gebouw rechts, met het hoge schuin aflopende dak, is de Grote Protestantse Kerk. Net als bij andere platen van W. Ising vraag ik me af of het hier gaat om een origineel werk van hem, naar de natuur geschilderd. Zijn de wandelaars later toegevoegd, 'opgeplakt' lijkt het wel? Ik heb precies diezelfde figuurtjes gezien op een foto uit tempo doeloe, voorstellende 'kerkgangers in de Minahasa'. Dat de Menadonezen bekendstonden als 'pretlievend en danslustig' gelooft niemand die dat bezadigde groepje ziet voortkuieren in een laan waar absolute zondagsrust heerst.

Samen met de Ambonezen zijn de Minahassers vaak de meest gezagsgetrouwe onderdanen van Nederland in de archipel, de meest betrouwbare inheemse soldaten van het koloniale leger genoemd. Dat is waarschijnlijk maar ten dele waar. Evenmin waren zij allemaal christenen. Telkens ook hebben de bewoners van Celebes en de Molukken getoond wel degelijk te streven naar onafhankelijkheid. Zij bleven lang loyaal in hun verhouding tot Nederland. Maar Nederland bleek uiteindelijk niet bij machte met name de noodgewongen naar 'patria' overgeplante Ambonese militairen en hun aanhang te steunen in hun pogingen een vrije Molukse Republiek te stichten.

DE MILIEU-PLATEN

Dat Frits van Bemmel (werkzaam bij het Pers-bureau Aneta) een populaire reclametekenaar en illustrator van kinderboeken was, verklaart waarschijnlijk het wervende en nogal sprookjesachtige karakter van de 'Milieuplaten' die hij tegen het einde van de jaren twintig voor de firma Wolters heeft gemaakt, als visueel hulp-middel bij taallessen in het Nederlands. Er zijn geen tekstboekjes bij deze serie, wel woordenlijstjes die te maken hebben met de voorstelling op de platen, 'De School', 'Het Erf', enzovoorts. We krijgen een aantal malen dezelfde personen te zien, in verschillende situa-ties. Door de platen in een bepaalde volgorde te behan-delen valt er een verhaal bij te bedenken. Waarschijnlijk hebben ook de onderwijzers tijdens de les hun fantasie te hulp geroepen.

Het gaat dan, stel ik me voor, om een West-Javaans gezin, vader, moeder en twee kinderen, een jongen en een meisje. De vader heeft kennelijk een intellectuele status. Zeker is dat hij tot de klasse der priyayi's, de lagere adel, behoort. Ik noem hem mijnheer Koesoema, en ga ervan uit dat hij verwant is aan een bekende Soendanese regen-tenfamilie. Dat verklaart ook zijn opleiding en positie. Hij draagt een wit hooggesloten jasje van westerse snit, maar ook de strak gevouwen en geplooide Javaanse mannenhoofddoek.

Deze mensen wonen in een huis van het gematigd moderne soort dat sinds ongeveer 1910 in alle Indische steden gebouwd werd. Zij leiden het leven van burgers uit de middenklasse. De kinderen gaan naar een Hollands-Inlandse school van het type Lager Onderwijs Op Westerse Grondslag, bestemd 'voor Inlandsche leer-

Schoolerf

lingen, wier ouders door hun ambt, afkomst, gegoedheid en opleiding in de Inlandsche maatschappij op den voorgrond treden.' Het onderwijs omvatte in hoofdzaak dezelfde vakken als op de Europese lagere scholen, en werd in het Nederlands gegeven. Daarnaast kregen de kinderen les in hun eigen landstaal en in het Maleis, dat overal in de archipel in gebruik was als overkoepelende taal in bestuurlijke aangelegenheden. De inheemse pers werd in het Maleis gedrukt, schrijvers en dichters uitten zich in het Maleis, het was de taal van het handelsverkeer en de onderlinge communicatie tussen mensen uit zoveel verschillende gebiedsdelen.

Na de zevenjarige cursus lagere school stonden in principe middelbaar onderwijs en later een aantal studierichtingen open voor de leerlingen die Van Bemmel op dit tafereel onder toezicht van een Nederlandse en een, in dit geval, Soendanese leraar in het vrije kwartier op de speelplaats laat ronddartelen. Een enkeling is traditioneel gekleed, maar de meeste jongens dragen een korte broek en een bloes, en de meisjes hebben jurken aan. Wel lopen alle kinderen op blote voeten.

De inheemse leraar is opvallend geplaatst, ook al zit hij in de schaduw van een galerij. Volgens mij moet dat mijnheer Koesoema zijn. Het is de enige maal dat we hem ten voeten uit zien, in zijn voorname lange kain-batik.

Hij heeft dus het gerespecteerde en voor de inheemse maatschappij uiterst belangrijke beroep van onderwijzer. De platen suggereren dat ontwikkelde geëmancipeerde inheemsen deel kunnen hebben aan alles wat het leven in een vooruitstrevende koloniale maatschappij te bieden heeft. Of die maatschappij in de praktijk werkelijk zo progressief was, en de integratie voor het bewustzijn van de Indonesiërs probleemloos verliep, is allang geen vraag meer, wij weten nu wel dat het niet zo is geweest. Ook al hadden die inheemse intellectuelen in hun studietijd, en later in hun werkkring, vriendschappelijke contacten met Nederlanders, al leefden zij thuis westers, en was het Nederlands hun voertaal, toch bleven zij zich – zeker in de periode van het opkomende nationalisme – bewust van een in koloniale verhoudingen nooit op te heffen ongelijkheid. Zij werden, zoals achteraf uit tal van ego-documenten is gebleken, door eigen landgenoten vaak met argwaan bekeken, en zelfs van collaboratie met de overheerser beschuldigd.

Volgens een statistiek werden Hollands-Inlandse scholen zoals die op de plaat, maar door ongeveer tien procent van de leerplichtige Indonesische kinderen bezocht.

Zoals veel oude inlandse adellijke geslachten in de Preanger Regentschappen bezit ook dat waar mijnheer Koesoema toe behoort eigen grond, met rijstvelden, desa's en jachtgebied. Mijnheer Koesoema is opgegroeid in zo'n landelijke omgeving. Zijn ouders en naaste familieleden, notabelen van hun desa, wonen er nog steeds. Regelmatig – in ieder geval op bepaalde islamitische feestdagen, zoals lebaran, nieuwjaar – gaat hij op bezoek in het dorp. Zijn kinderen brengen hun vakanties door in de oedik en leren het leven van de boeren kennen, de op eeuwenoude traditie berustende samenwerking van alle dorpsgenoten bij het planten en oogsten van de rijst, en het beginsel van 'musjawarah mufakat', het in bestuurlijke kwesties net zolang met elkaar overleggen tot er eenstemmigheid is bereikt.

Mijnheer Koesoema weet dat veranderingen in levensstijl

Sawah landschap

Station

en modernisering van landbouwmethoden en werktuigen op den duur noodzakelijk zullen zijn voor economische groei, maar hij is er ook diep van overtuigd dat besef van wat de rijstcultuur voor het wezen van het Javaanse volk betekent, niet verloren mag gaan.

Zelf heeft hij, hoewel van huis uit priyayi, als kleine jongen meegeholpen met het verzorgen en drenken van de karbouwen, en vanuit een wachthuisje op palen de vogels weggejaagd boven de rijpende halmen. Met zijn vrienden onder de dorpsjeugd heeft hij vis gevangen en vliegers opgelaten in het vrije veld.

Door zijn studie aan de kweekschool en de richting waarin zijn gedachtenleven zich ontwikkelt, is er in de loop van de jaren wel een afstand gegroeid tussen hem en de eenvoudige desabewoners. Maar ook bij zijn familie heeft hij soms moeite om uit te leggen wat hem bezig-houdt. Steeds meer voelt hij zich aangetrokken tot de opvattingen van de nationalistische jongeren in zijn kennissenkring. Moet hij een eerste stap zetten in de rich-ting van politieke activiteiten?

Hoeveel stations als dit zullen er omstreeks 1930 op Java geweest zijn? Daar bestond toen een spoor-wegnet van ruim vijfduizend kilometer.

Wat ik op deze plaat zie, doet me sterk denken aan vroe-gere soortgelijke haltes op de lijn tussen Batavia en Bandoeng voor lokaal vervoer. De chique sneltrein, de 'Eendaagse', stopt daar niet.

Overal dezelfde bedrijvigheid van in- en uitstappende mensen met hun pakken, zakken en manden. Dat zijn passagiers voor de wagons derde klas, waar je ook kippen en zelfs een geit mee naar binnen kunt nemen. Langs de trein lopen sigarettenverkopers en vrouwen met hapjes en zoetigheid. In het plaatsje Depok (ooit nog buiten Batavia gelegen, maar nu allang opgeslokt door de reus-achtige agglomeratie van Jakarta) hadden ze destijds een specialiteit, 'Dodol Depok', een soort pudding met koffiesmaak, nergens anders verkrijgbaar, en dus gretig gekocht door de reizigers op dat traject.

Frits van Bemmel heeft ook hier weer gekozen voor de aanpak van de reclameman. Alles wat je op zo'n station-netje kon aantreffen staat erop, maar geflatteerd. (Nee, ik mis toch een belangrijk onderdeel, de borden met opschrift MASOEK en KELOEAR, in- en uitgang, altijd duidelijk zichtbaar aangebracht).

Het Europese element wordt vertegenwoordigd door een dame met kind en een paar heren, van wie er een, rechts bij de ingang, met een correct jasje boven shorts en knie-kousen zo weggelopen schijnt uit Brits-Indië. Voor zover ik weet konden alleen de 'sahibs' daar zich zo'n dracht veroorloven. Behalve voor kleine jongens, koelies en – eventueel – planters, werd in Indië een korte broek als 'ongekleed' beschouwd.

Een aardig detail is de man op weg naar of terug van de pasar met een paar doerians, waarvan het binnenste smaakt als slagroom, maar stinkt naar rotte eieren. Om de stekelige vrucht hanteerbaar te maken is er een lus van repen klapperblad omheen geknoopt.

Ik zie mijnheer Koesoema in de trein uit het raam kijken. Hij neemt afscheid van een jongen op het perron, misschien een neefje dat hem na zijn bezoek aan de familie in de desa naar het station heeft gebracht. Zoals de meeste mensen van zijn stand die het zich financieel kunnen permitteren, steunt mijnheer Koesoema minder

Achtergalerij

fortuinlijke bloedverwanten. Het is goed mogelijk dat hij zojuist de jongen, die het lokale onderwijs ontgroeid is, verder schoolgaan in de stad en dus een betere toekomst, in het vooruitzicht heeft gesteld.

Als de kinderen uit school komen, en ook hun vader thuis is, meestal om een uur of een, wordt het tijd voor het middageten in de achtergalerij. Het menu zal hier zeker rijst zijn, met groenten en wat vlees- of vis-gerechten.

Vanaf hun plaats aan tafel kijken ze uit op het erf en de bijgebouwen. Langs een overdekt betegeld pad liggen de badkamer (een gemetselde bak vol water, met op de rand een emmertje dat je telkens vult en dan over je hoofd leeggiet) en de keuken. Die is nog ouderwets, zonder fornuis, maar met stookgaten voor houtskool en verschil-lende komforen. Gekookt afgekoeld drinkwater staat klaar in een grote kruik van aardewerk. Frigidaires (luxe!) kwamen pas in de jaren dertig in omloop. Dit huis had bovendien nog geen electriciteit, getuige de petroleum-lamp boven de tafel en het 'pitje' aan de muur naast de keuken. Om levensmiddelen zo lang mogelijk goed te houden, zal er wel een met zink gevoerde koelkist in de provisiekamer gestaan hebben. In Batavia hebben wij er ook nog heel lang zo een gehad. Bij kiosken waren staven ijs te koop, die daar elke ochtend vroeg door de ijsfabriek afgeleverd werden. Net als bij ons heeft de kebon (die hier naast de put pannen zit te schuren) op de fiets het ijs gehaald en het op zijn schouder, in een deken gewikkeld, thuisgebracht.

Hoewel het de warmste tijd van de dag is, blijft het

gestreepte zonnescherm opgerold tegen de dakrand. Wat kokki aan het doen is, kan ik niet goed zien. Schilt zij een djeroek Bali, die citrusvrucht zo groot als een kinder-hoofd, om de schijven straks als dessert op te dienen? In gedachten proef ik het heerlijke bitterzoete sap.

Wie is het derde kind aan tafel? Misschien het neefje uit de oedik, het bergland van de Preanger. Hij woont nu bij de Koesoema's en gaat naar dezelfde school als hun zoon en dochter.

Na de middagrust, als de schaduwen langer worden, verzamelen de Koesoema's zich aan de voorkant van het huis, in afwachting van het thee-uur, een Hollands-Engelse gewoonte die bij de koloniale Indische dagindeling hoort. Het is ook de geijkte tijd voor bezig-heden in de tuin, het begieten van planten en bloemen, het vegen van de paden onder de bomen.

Op de treden naar de voorgalerij hurkt een man in res-pectvolle houding. Ongetwijfeld heeft hij juist de brief gebracht die mijnheer Koesoema zit te lezen. Hij kan een boodschapper uit de desa zijn, als eenvoudige dorpeling diep doordrongen van de status van dit gezin.

Mevrouw Koesoema doet met haar huishoudboekje in de hand een paar inkopen bij een ambulante toko. Het gaat om kleinigheden die zij vergeten heeft toen zij 's och-tends op de pasar was.

In haar jeugd behoorde zij tot de meisjes van haar stand met ruimdenkende ouders, die geen bezwaren hadden tegen schoolgaan (op een vooruitstrevende, zogenaamde Van Deventer-school), en haar de mulo lieten volgen. Zij koestert een grote verering voor Raden Adjeng Kartini,

de in 1904 jonggestorven regentendochter uit Japara, wier in het Nederlands geschreven – en onder de titel *Door duisternis tot licht* gepubliceerde – brieven de advocaat en woordvoerder van de ethische richting C.Th. Van Deventer ertoe gebracht hebben zich in te zetten voor het onderwijs aan inheemse meisjes. Net als haar man voelt zij zich verplicht te doen wat zij kan voor de ontwikkeling en gezondheid van minder bevoorrechte landgenoten. In het maatschappelijke werk vervult zij een belangrijke rol. De vereniging 'Vrouwen van de Pasoendan', waarvan zij een zeer actief lid is, heeft in de afgelopen jaren een Tehuis voor Vrouwen, een weeshuis voor kampongkinderen (die daar ook les krijgen in lezen en schrijven), en een consultatiebureau voor zuigelingen opgericht. In de stadskampongs is het sterftecijfer van baby's onder een jaar schrikbarend hoog. Mevrouw Koesoema beschouwt het als een vooruitgang dat de vereniging de medewerking heeft gekregen van Nederlandse artsen en inheemse studenten in de gynaecologie. Zij voelt zich een moderne vrouw, maar toch houdt zij vast aan de vormelijkheid in gedrag en kleding van haar volk omdat zij nu eenmaal in die traditie is opgevoed, en die stijl haar het beste ligt. Maar zij is zich er heel goed van bewust dat haar dochter, nu ijverig bezig bij de perken met canna's en gerbera's, later geen sarong en kabaya meer zal dragen (behalve misschien bij plechtige gelegenheden, wanneer zij haar nationaliteit wil benadrukken); dat zij waarschijnlijk zal doorleren, misschien een beroep uitoefenen, en in elk geval beter dan de 'oude garde' in staat zal zijn haar opgroeiende kinderen leiding te geven in het onafwendbare, broodnodige emancipatieproces van hun land.

Voorerf

Achtererf

Is Frits van Bemmel zelf ooit een 'Indisch' kind geweest? Zijn 'Achtererf' zou je eerder in Blaricum of Doorn of in een ander dorp in Nederland verwachten dan op Java. De achtererven van Indische huizen (en alleen oude Indische huizen hadden echte achtererven) waren zelden 'aangelegd', maar wat rommelig, met allerlei soorten struiken en bomen door elkaar, waardoor het er altijd schaduwrijk was, en verder bloeiende planten en varens in potten, en hokken en kooien voor de dieren die bijna iedereen hield: behalve honden en katten ook kippen en vogels, zoals beo's en kaketoes.

Wijzelf hadden in Buitenzorg (nu Bogor) een grote tuin, met een apart omrasterd gedeelte waar een paar mooie witgevlekte herten rondliepen. Een genot waren de fruitbomen, pisangs en djeroeks natuurlijk, maar vooral de manga's. Je klom er niet in langs een ladder, zoals het jongetje op de plaat, maar tegen de stam op tot je een vork tussen twee of drie takken vond, om daar behaaglijk achterovergeleund het sappige oranje vruchtvlees van de pit af te kluiven.

Middelpunt van de plaat is een meisje. Ik ga er maar van uit dat zij het dochtertje van de Koesoema's is. Terwijl haar broertje en zijn vrienden zo onwaarschijnlijk braaf met een bal spelen in dit idyllische tafereel, met eenden en kippen aan de oever van een beekje zoals er, denk ik, nooit één door een Indisch achtererf stroomde (water in de buurt betekende meestal de kali of de volle afvoergoot in de regentijd), zit zij te lezen, en – zo lijkt het – wat na te denken over het gelezene. Frits van Bemmel, die Nederlandse kinderboeken illustreerde, moet geweten hebben dat er toen, voor inheemse kinderen eigenlijk nog geen boeken in de eigen landstaal bestonden.

Pas omstreeks 1934 waren er een paar vertalingen in het Maleis te krijgen, bijvoorbeeld van *Pinokkio*, *De gelaarsde kat*, en – nogal merkwaardig! – een beschrijving van de overwintering op Nova Zembla. Direct in het Maleis geschreven en door het Kantoor voor Volkslectuur uitgegeven verhalen als *Anak Desa* (Desa-kind) en *Si Doel, anak Betawi* (Doel, een jongen uit Batavia) waren nog zeldzaam. Kinderen die Nederlands konden lezen, lazen dezelfde boeken als hun Hollandse leeftijdsgenoten, bijvoorbeeld *Dik Trom*, de meisjesromans van Cissy van Marxveldt, en detectiveverhalen. Misschien kregen zij soms ook een paar van de jeugdboeken over Indische onderwerpen in handen, die sinds het begin van de twintigste eeuw mondjesmaat werden geschreven door in Indië wonende Nederlandse auteurs, zoals Nellie van Kol en Marie van Zeggelen.

De inheemse cultuur was er een van vertellers. Er bestaat een schat aan verhalen over Kantjil, het dwerghert, en andere dieren uit de Javaanse sprookjeswereld. En natuurlijk zijn er de eeuwenoude heldendichten, die in het wajangspel vertoond worden, met als hoofdpersonen goden en mythologische vorsten en monsters. Elke streek kent eigen overleveringen die van generatie op generatie mondeling doorgegeven worden, en griezelverhalen met een opvoedkundige strekking, die verzorgsters van kinderen succesvol wisten te hanteren. Ook Nederlandse kinderen die in Indië opgroeiden kunnen daarover meepraten.

Kinderboeken werden destijds nauwelijks verkocht, er was nog geen markt voor. Veel inheemse ouders konden zich de aanschaf niet veroorloven. Wel toonden de hoge uitleencijfers van de openbare bibliotheken aan dat er veel vraag was naar lectuur. Kinderen kregen kosteloos een boek mee, volwassenen betaalden een cent leesgeld.

Postkantoor en station

Mijnheer Koesoema's activiteiten brengen hem blijkbaar soms in omstandigheden dat hij gebruik kan maken van een (dienst)auto met chauffeur. Het bezit van een eigen wagen was een weelde die maar weinig particulieren zich konden veroorloven. Tot ver in de jaren dertig waren rijtuigjes zoals de tweewielige sado en dokar de gebruikelijke vervoermiddelen. Later kwamen daar in de stad geleidelijk taxi's voor in de plaats, en ook wel kleine busjes, de zogenaamde demmo's.

Het lijkt alsof de plaat vooral de aandacht wil vestigen op de rol die het moderne verkeer vervult in het overbruggen van afstand en in de communicatie. Mijnheer Koesoema verplaatst zich hier per auto, de gefrankeerde brieven die de kinderen naar het postkantoor brengen zullen met de trein meegaan naar een misschien ver weg gelegen bestemming. De motorrijder kan op zijn Harley Davidson (de wensdroom van alle Indische jongens) sneller, en ook langs smalle en minder goed gebaande wegen vooruitkomen dan een automobilist. Misschien is hij een bode die pakketten en brieven moet afleveren op ondernemingen in het bergland. Hij is gekleed in een soort uniform met beenwindselen, 'puttees', zoals militairen in de tropen dragen. Daarom lijkt het me bij nader inzien ook mogelijk dat hij van de mobiele veldpolitie is, en mijnheer Koesoema heeft geëscorteerd bij een belangrijke officiële aangelegenheid. Uit de manier waarop de vader en zijn kinderen elkaar toezwaaien, valt op te maken dat er sprake is van een verrassende gebeurtenis. Het hele tafereel heeft iets van een zorgvuldig gearrangeerde scène op een filmset die een beeld wil geven van een Indische plaats die met zijn tijd meegaat. Alles ziet er even schoon en netjes uit. Maar het is een decor, geen momentopname van een herkenbare werkelijkheid.

Ik moet denken aan de Indische leesplankjes, die ongeveer tegelijkertijd met de schoolplaten ontstonden en aan het bekende *Ot en Sien*, voor de scholen in Nederlands-Indië. Die lieten zoals de boekhistoricus Ernst Braches, die tussen 1930 en 1940 in het vooroorlogse Indië opgroeide, eens schreef 'een verkleedpartij van Hollandse kindertjes' zien. Met hun 'Indische toneelkleren' aan liepen ze rond in een kunstmatig van Indische details voorzien Indisch huis, en een dito Indische tuin, in een Indische omgeving, getekend door Jetses, die nooit in Indië is geweest. 'Nu […] over de tijd heen terugblikkend, ontstelt me de arrogantie waarmee Indische kinderen toen al bewust werd gemaakt dat zij geen deel zouden uitmaken van het Hollandse bestaan dat met een verbluffende vanzelfsprekendheid gepresenteerd werd aan een klas van donkere en blanke Indo's, van kinderen van Indonesische, Chinese of andere herkomst.' Frits van Bemmel heeft met zijn schoolplaten die fout niet gemaakt, integendeel, hij wilde voor niet-Hollandse kinderen in Indië hun eigen wereld in kaart brengen. Maar hij deed dat in opdracht van Nederlandse pedagogen, en vanuit een moderne zakelijke westerse vooruitgangsgedachte. Die was voor de leerlingen van de Hollands-Inlandse scholen even oneigenlijk als de zoete beelden op de leesplankjes.

De plaat, die de openingszitting van de Volksraad voorstelt, is niet gemaakt door Frits van Bemmel, maar naar de stijl van schilderen te oordelen door Menno van Meeteren Brouwer. De Volksraad werd in 1918 opgericht en was bedoeld als 'een vertegenwoordigend

Opening van den Volksraad van Nederlandsch-Indië

lichaam dat aan Nederlandsche onderdanen, ingezetenen van Nederlandsch-Indië, gelegenheid geeft tot medewerking aan de behartiging van 's Lands belangen'.

Er waren zestig leden: 'dertig inheemse onderdanen niet-Nederlanders, verder tenminste vijfentwintig onderdanen Nederlanders, en ten hoogste vijf en tenminste drie uitheemse onderdanen niet-Nederlanders' (zoals het wetgevend artikel omslachtig uitlegt). Een aantal van deze leden werd door de gouverneur-generaal benoemd. Zij hadden een adviserende functie en konden hervormingen voorstellen. Dat was in ieder geval de oorspronkelijke opzet, die niet iedereen in regeringskringen met gejuich had begroet.

De beschouwer vanuit wiens gezichtspunt de vergaderzaal van het fraaie neo-klassieke gebouw van de Volksraad in Batavia is weergegeven, bevindt zich – dat kan niet anders – aan de kant waar de inheemse leden zitten. Immers, de tegenoverliggende plaatsen zijn, zo lijkt het tenminste, ingenomen door louter Europeanen, in geklede zwarte jassen. Men zou eigenlijk verwachten dat de schilder het vooruitstrevende element van inheemse deelname aan bestuurszaken benadrukt had door juist de leden van die groep in beeld te brengen. Wij zien maar één persoon, op de rug, die we als inheems herkennen omdat hij de Javaanse mannenhoofddoek draagt. Daardoor word ik onweerstaanbaar herinnerd aan mijnheer Koesoema. En hoewel de plaat niet thuishoort in de 'Milieu'- serie van Frits van Bemmel neem ik de vrijheid dit tafereel te gebruiken in mijn verhaal.

Maar kan mijnheer Koesoema in zijn kwaliteit van onderwijzer, en dus behorend tot de lagere ambtenaren, ooit voor de Volksraad gekozen zijn als een van de afgevaardigden uit het Preanger Regentschap? In fictie (en daartoe hoort mijn interpretatie, net als de serie 'Milieu-platen') wordt het onwaarschijnlijke mogelijk.

We zouden zijn gedachten willen kennen, terwijl hij luistert naar de redevoering van de gouverneur-generaal. Dat kan niet meer de ethicus Van Limburg Stirum zijn, die zo geijverd heeft voor de installatie van deze volksvertegenwoordiging, en ook niet zijn opvolger, de iets meer behoudend ingestelde Fock, die zich liet leiden door de kritiek op 'voorbarige' pogingen om inheems zelfbestuur te bevorderen. Hun ambtsperioden eindigden respectievelijk in 1921 en 1926. Van Bemmels platen verplaatsten ons in een (geïdealiseerde) Indische werkelijkheid van omstreeks 1930. Als ik die datering aanhoud, zou de Landvoogd op deze plaat de conservatieve jhr. De Graeff zijn. Opgeschrikt door de snelle groei van het nationalisme onder de inheemse intellectuelen heeft het Gouvernement maatregelen getroffen die de inspraak van de Volksraad sterk beperken, en de adviserende rol van de leden terugbrengen tot een louter formele aanwezigheid. Mijnheer Koesoema is, zoals tallozen van zijn collega's en generatiegenoten, diep teleurgesteld en verontrust door de woorden van de G.G. Die heeft zich al doen kennen als een voorstander van strenge maatregelen. Een aantal invloedrijke nationalisten (onder wie de jonge ingenieur Soekarno, die een hartstochtelijk openbaar pleidooi voor ontvoogding heeft gehouden) is 'opgepakt' en gevangen gezet.

Mijnheer Koesoema weet zich voor een keuze geplaatst. Moet hij loyaal blijven aan een landsbestuur dat hem zijn gevoel van eigenwaarde ontneemt en zijn overtuiging van wat rechtvaardig is, aantast? Kan hij zijn taak van onderwijzer vervullen in een systeem dat hem en zijns gelijken niet ziet staan?

Wie een indruk wil krijgen van de problemen waar nationalistische onderwijzers in die tijd mee te kampen
hadden, moet *Buiten het gareel* lezen, de roman die
Soewarsih Djojopoespito (daartoe aangespoord door
E. Du Perron) in 1938 geschreven heeft over de zogenaamde 'wilde', dat wil zeggen niet door het Gouvernement erkende, scholen op Java.

Dit moet toko DE ZON zijn, op Pasar Baroe in
Batavia, het echte Indische warenhuis in de trant
van de Winkel van Sinkel uit het oude kinderliedje, 'waar
alles te koop is'. Warenhuizen van dit type ontstonden na
1900 in alle hoofdplaatsen in Indië. Eigenlijk waren het
overdekte, ordelijk ingerichte markten voor westerse artikelen, maar toch al niet meer uitsluitend bestemd voor
Europees publiek. Mevrouw Koesoema doet er stellig
weleens boodschappen.
Pasar Baroe was een smeltkroes. Japanners verkochten er
lakwerk en porselein, Bombayers toonden hoog opgesta-
pelde balen zijde, satijn, kant en andere luxe kledings-
stoffen, Chinese makers van kunstgebitten boden onder
uithangborden met opschrift 'Toekang Gigi' en realis-
tisch geschilderde staaltjes van hun kunnen, hun diensten
aan, meubelmakers (meestal ook Chinezen) hadden de
deuren van hun werkplaatsen, waar het sterk rook naar
politoer en beits, wijd open staan, er waren ijs- en kapsa-
lons, en talloze winkeltjes voor sieraden van vooral het
inheemse gele goud.
In toko DE ZON kon men voor alles terecht: textiel, speel-

Toko

goed, huishoudelijke artikelen, koffers, leerwaren, schrijf-behoeften, en ja, ook lampenkappen van destijds elegant geachte modellen, in pastelkleurige zijde over een frame van ijzerdraad, altijd met franje langs de rand. Op de plaat zie ik ze hangen, en nu roept juist dat detail iets wakker in mijn geheugen: de sfeer van avonden in de Europese wijken, wanneer de bewoners in de voorgalerij, of op hun platje, onder de schemerlamp van de koelte zaten te genieten. In de donkere laan vormen al die plekken zachte gloed van geel- of zalmroze omkapte lichtbronnen bakens van huiselijkheid. Krekels sjirpen duizendstemmig tussen het gebladerte, in de greppel die de tuinen van de openbare weg scheidt, kwaken de kikkers (is er regen op komst?). Van tijd tot tijd klinkt de roep van een verkoper van sateh of ander lekkers.

Ik moet nu ineens denken aan iets dat ik niet zie op deze plaat. Een extra attractie van toko DE ZON was de Ameri-kaanse drinkfontein, waar je gratis bekertjes ijswater kon tappen. Ook zonder de noodzaak om boodschappen te doen gold het bezoek aan Pasar Baroe als een uitje.

Van Bemmel heeft zijn toko DE ZON een moderner aanzien gegeven dan de zaak had in de tijd toen hij de plaat maakte, omstreeks 1930. Hij toont een doorkijk naar een hoger gelegen etage, en loopt zo vooruit op de winkels in het na-oorlogse Jakarta, zoals het vele verdie-pingen tellende grote warenhuis Sarinah, de trots van de stad in de jaren zestig, en alle latere nieuwbouw koop-centra in de onafzienbare reeks van buitenwijken. Maar net als vroeger gaat het gewone volk, ook nu nog, liever naar de vertrouwde pasars oude stijl, of naar de talloze handeltjes aan de kant van de weg.

Ga je graag naar de Chineesche Kamp? vraagt het *Taallesboek* aan de leerlingen, wanneer zij aan de milieuplaat 'Straat met toko's' toe zijn. Die stelt een hoekje van de Kamp voor en biedt in tegenstelling tot de platen van Bleckmann en Gabriëlse uit de Aardrijkskun-dige serie, inkijk in de winkels. Alles wat je daar kunt kopen (als je geld hebt) wordt in de zestiende les opge-somd: kleren, meubels, schoenen, sieraden van zilver en goud, potten en pannen. Extra vermelding krijgen de vlijt en het harde werken van de Chinezen. Ten slotte mogen de kinderen 'koopman' spelen (vragen, bieden, afdingen, enzovoort).

De mensen op de plaat zijn ook allemaal bezig met kopen of verkopen. Alleen de Arabier (de vertegenwoordiger van de 'vreemde oosterlingen', die Frits van Bemmel blijkbaar evenmin mocht overslaan als Bleckmann en Gabriëlse) loopt er wat verloren bij (zie blz. 4). Van de 'morsigheid' die Henri Zondervan in zijn tekstboekje uit 1920 nog kenmerkend noemde voor deze wijk in de bene-denstad van Batavia, is niets te zien. Hetzelfde geldt voor de plaat 'Passer' (de auteurs van het *Taallesboek* gebruiken de lelijke oude Maleise spelling). Ook daar biedt het keurig in scène gezette tafereel, met kijkend en keurend publiek bij de op straat uitgestalde waren, volop gelegenheid om de woordenlijst bij les 16 te behandelen, bijvoorbeeld: 'Zelfstandige naamwoorden: namen van vruchten en dingen op de passer. Bijvoegelijke naam-woorden: onder andere vies, bedorven, gezellig, vals, eerlijk. Werkwoorden: onder andere bederven, liegen, ruiken, weggooien.'

De leerlingen krijgen luister- en spreekoefeningen met vragen en antwoorden uit het 'passer-milieu': 'Vertel wat van de passer, wat je daar ziet, hoeveel het kost, waarvan

Straat met toko's / Pasar

het gemaakt is, en wie er alzoo loopen.'

Ja, wie lopen daar alzo?

Kunnen dat mijnheer en mevrouw Koesoema zijn, die staan te luisteren naar het tawarren bij de koopman met zijn handeltje in 'messen, vorken, lepels, veters, band, koperen ringen, spiegeltjes, blikken speelgoed, obat en nog veel meer'? Ik kan me niet voorstellen dat mijnheer Koesoema een westerse herenhoed zou dragen boven op zijn Javaanse mannenhoofddoek, ook al waren er destijds stadslui die dat wel deden. Eigenlijk denk ik dat hij links in de warong zit en zijn neefje uit de oedik trakteert op een glas vanillestroop met gestampt ijs, terwijl mevrouw Koesoema bij de toko rechts een koepiah of pitji koopt voor haar zoon, het zwartfluwelen mutsje dat de mannen en jongens dragen die willen tonen dat zij moslim zijn. In een voorwoord bij de uitgave van 1925 leggen de auteurs een beginselverklaring af. Behalve 'nieuwere algemeen-paedagogische gedachten', en 'moderne inzichten in de taalwetenschap', willen zij vooral de 'sociologisch gefundeerde milieu-aanpassing' tot uitdrukking brengen. 'Het totaal negeren van Indische behoeften heeft niet zoo heel lang geduurd. In de taalmethodes kwamen al gauw Indische elementen voor. Ook de oudere boekjes gaven Indische stof – natuurlijk alleen voor Europeesche kinderen. De Inlandsche maatschappij wordt in taal- en leesboekjes pas sedert kort ook door anderen dan door baboes en kebons vertegenwoordigd.'

Het is jammer dat deze uitstekende opzet niet geïllustreerd werd met beelden die meer in overeenstemming zijn met de inlandse werkelijkheid van die tijd dan de aardige maar wel erg geflatteerde en daarom weinig geloofwaardige aquarellen van Frits van Bemmel.

Door het teloorgaan van archiefmateriaal bij Wolters-Noordhoff ontbreken gegevens over de receptie van de milieuplaten. Hoe hebben de inheemse leerkrachten en de kinderen van de Hollands-Inlandse en Hollands-Chinese scholen tegen die voorstelling van hun werkelijkheid aangekeken?

Natuurlijk is Pasar Baroe oorspronkelijk ook een Kampong Tjina, een Chinese Kamp, geweest in het begin van de negentiende eeuw, toen Batavia opschoof in zuidelijke richting, naar de 'hoge gronden', zo ver mogelijk weg van de ziekteverwekkende vervuilde kanalen in de oude benedenstad.

Veel Chinezen volgden het voorbeeld van de Europese bevolking. Hun woonwijk veranderde geleidelijk in een multiculturele winkelstraat.

MENNO wilde ongetwijfeld laten zien hoe modern het daar toeging in de jaren twintig.

Twee onwaarschijnlijk chic geklede jongens (die kniekous-ophouders dragen van een eigenaardig model) zijn prominent aanwezig in het straatbeeld – misschien om scholieren in Holland, die deze platen bij de les te zien kregen, een gunstig denkbeeld te geven van hun leeftijdgenoten overzee!

Zo rustig als MENNO het hier doet voorkomen was het nooit op Pasar Baroe. Ik vraag mij af, of hij de 'Winkelstraat', de 'Volksraad', en de 'Kade van Tandjong Priok' voor een (incompleet gebleven?) serie gemaakt heeft, die net als die over de Vorstenlanden door Noordhoff in Groningen werd uitgegeven.

Zo'n reeks zou eigenlijk al tot de Milieuplaten gerekend kunnen worden.

Winkelstraat in de Chineesche Kamp

Haven

Als ik me niet vergis zie ik helemaal onder op de plaat, in het midden, een achterhoofd met een Javaanse mannenhoofddoek. Is het mijnheer Koesoema die daar staat, op de kade van Tandjong Priok, waar de grote mailschepen elke week aanleggen en uitvaren? Hij kan daar zijn voor een eerste ontmoeting met zojuist ontscheepte passagiers uit zijn familie- of vriendenkring. Maar hij komt te laat. De grootste drukte is al achter de rug. Misschien hoopt hij nog bekenden te ontdekken tussen de reizigers die nu naar de uitgang van het havengebouw lopen.

Onder de leden van het regentengeslacht waartoe hij zelf behoort (zij het in een lagere rang) zijn jongelui die dankzij de welstand van hun ouders, of met een beurs van het Gouvernement, gedurende een paar jaren in Holland konden studeren, het liefst natuurlijk aan de Leidse Universiteit, maar ook wel in Delft of Wageningen. Enkelen van hen keren nu naar huis terug.

Vaak heeft mijnheer Koesoema hen benijd, wanneer hij hoorde van hun ervaringen en belevenissen in het verre 'land van de overheerser'. Hij zal zich zo'n reis uit eigen middelen nooit kunnen veroorloven. Sinds hij wat meer op de voorgrond treedt in zijn werkkring raden soms mensen met wie hij te maken heeft (ook Nederlanders zijn daarbij) hem aan te proberen in aanmerking te komen voor financiële steun van hogerhand. Hij beheerst het Nederlands voortreffelijk en zou in Holland aanvullende examens kunnen doen die de poort naar hoger, wie weet zelfs academisch, onderwijs voor hem openen. Maar hij blijft twijfelen. Zou hij door zo'n studieverblijf (gesteld dat hij in staat is gunstige resultaten te behalen) kans maken op een werkelijk verantwoordelijke en invloedrijke positie in de Indische maatschappij, die

– want dat is toch in de eerste plaats zijn streven – ten goede komt aan zijn eigen volk? Er zijn hem een paar gevallen bekend van landgenoten wie het gelukt is na hun studie als jurist of arts of in de handel passend werk te vinden. Maar die hebben zich daardoor eigenlijk in dienst gesteld van het koloniale systeem. Het is hem ook opgevallen dat 'verwestering' als gevolg van jarenlang leven in Nederland een beletsel vormt voor goed contact en samenwerking met de mensen die in desa's en stadskampongs leven, en om het lot van die miljoenen gaat het toch!

Natuurlijk heeft hij wel gehoord hoe juist onder de in Nederland studerende 'Indiërs' de politieke bewustwording sterk is toegenomen. Een en ander komt tot uiting in hun verenigingsleven en publicaties. Ook weet hij dat er door radicale elementen actie gevoerd wordt voor revolutionaire klassenstrijd: bevrijding niet alleen van de koloniale overheersing, maar ook van de sinds eeuwen onveranderde suprematie van vorsten en adel in de eigen cultuur.

Het spijt hem dat hij niet eerder in Priok kon zijn. Hij had graag de kans gekregen even aan boord te gaan, zoals afhalers meestal doen, om iets te zien van het binnenste van dat mooie schip, de Selamat van de Rotterdamsche Lloyd.

Frits van Bemmel heeft hem letterlijk als een 'randverschijnsel' neergezet op deze milieuplaat, de laatste van de serie waar hij op voorkomt. Zo blijft hij in mijn herinnering, kijkend naar de bedrijvigheid op de kade bij de mailboot, voor hem het symbool van een hem in wezen vreemde cultuur, een vooralsnog onbereikbaar levenspeil.

Wiens blikveld hebben we hier voor ogen? Misschien is mijnheer Koesoema, hoewel onzichtbaar, toch aanwezig tussen de mensen die van hun werk op de sawahs terugkeren naar de desa. Altijd is familiebezoek een gelegenheid om nieuws uit te wisselen en te horen hoe het staat met de dorpszaken.

Het afgelopen jaar heeft geen goede rijstoogst opgeleverd. Weer heeft een aantal mensen uit geldnood de eigen sawah verkocht. Die werken nu voor de kost bij een fortuinlijker buurman. Het lijkt alsof het leven in de desa stagneert.

De kleine jongen op de karbouw heeft na drie jaar onderwijs het desaschooltje verlaten, omdat zijn ouders te arm zijn om hem verder te laten leren, en bovendien hebben zij zijn hulp nodig. De vrouw die gebukt gaat onder de vracht op haar rug (alle dagen sjouwt zij met veel te zware bundels, manden en zakken naar de pasar), zal krom en versleten zijn ver voor haar tijd. Hoe lang blijft de jonge boer met de patjol over zijn schouder nog in de desa? Zijn leeftijdgenoten trekken een voor een naar de stad, waar ze hopen iets te beleven en werk te vinden dat meer opbrengt dan veldarbeid. Maar wat zal het lot van een onervaren dorpsjongen zijn in de verpauperde kampongs van Batavia?

De zon is achter de bergen verdwenen. In de avondschemering gaat er een grote rust uit van het land. De natuur herademt. Het koor van de krekels in bomen en struiken zwelt aan, en verre geluiden komen met de wind mee vanuit het bos op de berghellingen. In de desa wordt op de bedoek geslagen.

De nacht is begonnen.

Avondstemming

LITERATUUR

Vicky Baum, *Liefde en dood op Bali*
(Amsterdam, Uitgeverij Atlas, 2002. Oorspronkelijke
versie 1937)

Ernst Braches, 'Kind dat wij waren' in: P. Boomgaard et
al., *Aangeraakt door Insulinde*
(Amsterdam, KITLV, 1992)

Jeroen Brouwers, *De zondvloed*
(Amsterdam, Uitgeverij Atlas, 2002. Eerste druk 1988)

Joseph Conrad, *Almayer's Folly*
(Cambridge, Cambridge University Press, 1994. Eerste
druk 1895)

Louis Couperus, *Oostwaarts*
(Amsterdam, Uitgeverij L.J. Veen, 1992. Eerste druk
1924)

P.A. Daum, *Goena-goena*
(Amsterdam, Uitgeverij Querido, 1992. Eerste druk
1889)

Maria Dermoût, 'De Zuidzee' uit: *Verzameld werk*
(Amsterdam, Uitgeverij Querido, 1990)
De tienduizend dingen
(Amsterdam, Uitgeverij Querido, 1998. Eerste druk
1955)

Soewarsih Djojopoespito, *Buiten het gareel*
('s-Gravenhage, Nijgh & Van Ditmar, 1986. Eerste
druk 1940)

Encyclopaedie van Nederlandsch Indië (1934)

Hella S. Haasse, *Het dieptelood van de herinnering*.
(Amsterdam, Uitgeverij Querido, 2003. Bevat o.a.
delen uit *Zelfportret als legkaart*, 1954)

Vincent Mahieu, *Tjoek*
(Amsterdam, Uitgeverij Querido, 1994. Eerste druk
1960)

Madelon Székely-Lulofs, *Rubber*
(Schoorl, Conserve, 1992. Eerste druk 1931)
Koelie
(Amsterdam, Manteau, 1985. Eerste druk 1932)

C.W.M. van de Velde, *Gezigten uit Neêrlands Indië, naar de
natuur geteekend en beschreven*
(Franeker, T. Wever, 1979. Eerste druk 1846)

Beb Vuyk, 'Vakantie als avontuur' uit: *Verzameld werk*
(Amsterdam, Uitgeverij Querido, 1981. Eerste druk
1972)

Duco van Weerlee, *Indische koortsen*
(Amsterdam, Uitgeverij Thomas Rap, 1988)

© 2004 Hella S. Haasse
Grafisch ontwerp Wim ten Brinke BNO
© Illustraties Wolters-Noordhoff BV, Groningen / Houten
© Reprofotografie Ronald Hoeben
© Foto auteur Roy Tee

ISBN 90 254 2374 4
D\2004\0108\840
NUR 301

www.boekenwereld.com

De spelling van Maleise woorden en aardrijkskundige namen is conform die van de oude schoolplaten en begeleidingsboekjes.